TRAITÉ PRATIQUE

DE MENUISERIE

TRAITÉ PRATIQUE
DE MENUISERIE

E. BARBEROT
ARCHITECTE (S. C.)

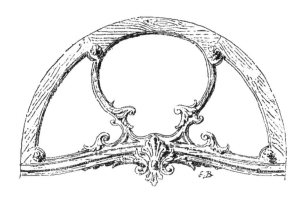

Orné de 864 dessins de l'auteur.

PARIS
LIBRAIRIE POLYTECHNIQUE CH. BÉRANGER, EDITEUR
SUCCESSEUR DE BAUDRY ET Cⁱᵉ
PARIS, 15, RUE DES SAINTS-PÈRES, 15
LIÉGE, 21, RUE DE LA RÉGENCE
—
1911

PRÉFACE

Ce livre est établi sur le même plan que nos précédents ouvrages : donner le plus de renseignements utiles possible, les classer et les présenter de manière à assurer une lecture facile des matières contenues et une recherche peu laborieuse des documents qu'on peut désirer consulter.

Est-ce à dire qu'il suffira d'ouvrir le livre pour trouver toute faite l'étude d'un travail quiconque ? Évidemment non, il n'est pas en notre pouvoir de faire un ouvrage évitant tout travail à celui qui le consulte. Ce serait trop beau, ou plutôt disons exactement notre pensée, ce serait très mauvais, car un livre supprimant tout travail d'intelligence et de conception serait certainement un mauvais livre.

Plus d'initiative, plus d'étude, rien à faire qu'à copier, ce serait non seulement un encouragement à la paresse, mais ce qui est pis c'est que ce serait la stagnation, l'avachissement, l'immobilité dans ce qui est acquis, l'abandon de la recherche du mieux ; et tout est toujours perfectible.

Cela, il ne le faut pas, il est bon, il est sain d'aimer la profession qu'on exerce et d'avoir toujours pour but de la perfectionner, de faire mieux son travail.

Bien qu'on se plaise à n'accorder le nom d'artiste qu'aux personnes exerçant certaines professions consacrées artistiques, nous pensons que l'art est partout dans le travail humain, et qu'un ouvrier est un artiste quand il apporte dans l'exercice de son

métier, en plus de ses connaissances professionnelles acquises et
de son habileté manuelle, un goût qui lui est propre et l'incite à
chercher à faire bien, à faire beau, à créer de nouvelles formes ou
à grouper harmonieusement celles déjà créées par d'autres.

Donc nous le répétons il ne faut pas s'attendre à trouver ici du
travail tout fait. Il faut encore moins compter y trouver tout ce
qui se fait, un livre si volumineux soit-il ne suffirait jamais à
enregistrer tout.

Mais on y trouvera des exemples des différents sujets composant la spécialité qui nous occupe et ces exemples, tout rudimen-
taires qu'ils puissent être, seront un point de départ pour la
recherche de la forme ou de la combinaison nécessaire.

On y trouvera aussi des indications sur les connaissances déjà
acquises, car en disant qu'il faut étudier et créer soi-même, nous
n'entendons pas dire qu'il faut mettre de côté ce que nos prédéces-
seurs ont créé ou trouvé avant nous et nous ont laissé en héritage.

Le résultat du travail humain, les connaissances acquises sont
un peu un monument à l'érection duquel chacun apporte sa
pierre, collaboration qui lui permet d'atteindre une certaine
hauteur, alors que si chacun recommençait seul à vouloir tout
créer, il ne s'élèverait pas considérablement au-dessus de terre.

Donc, il faut profiter du travail de ceux qui nous ont précédé,
le parfaire et le perfectionner autant que notre intelligence et
notre adresse nous en fournissent les moyens.

Dans la consultation qu'on peut faire d'un livre comportant du
texte et des figures, il ne faut pas se contenter de regarder les
dessins, car presque toujours le texte les explique, et même les
complète, et tel dessin paraissant peu compréhensible devient
clair après lecture du texte. Réciproquement, le dessin de son
côté explique et fait comprendre la description et en rend la
lecture plus fructueuse.

De parti pris nous avons évité, autant que possible, la sculpture,
c'est-à-dire l'ornementation qui n'est pas à proprement parler de
la menuiserie. Nous nous sommes efforcé à n'employer que les

lignes que peut donner le bois mis en œuvre, les assemblages qui assurent la solidité, et les combinaisons rationnelles qui permettent d'établir un bon travail avec une dépense normale.

Pour les travaux comportant de la sculpture, la collaboration du sculpteur est indispensable, car c'est lui qui indiquera au menuisier les masses nécessaires aux reliefs qu'il aura prévus.

TRAITÉ PRATIQUE
DE MENUISERIE

La menuiserie est la branche de la construction qui a pour objet l'exécution des travaux de revêtement des murs ou cloisons ainsi que les parties ouvrantes ou mobiles exécutés en bois. Il résulte de là deux divisions principales :

1° La menuiserie fixe ou dormante, qui comprend tous les ouvrages fixés à demeure aux murs, plafonds, parquets, planchers, voûtes, etc., et, d'une manière générale, toutes les parties fixes exécutées par le menuisier.

2° La menuiserie mobile embrassant tous les ouvrages en bois tels que portes, croisées, châssis, persiennes, volets, etc., dont la destination est de clore ou d'ouvrir à volonté les ouvertures pratiquées dans les murs des constructions, soit pour permettre l'accès des lieux, soit pour laisser pénétrer l'air et la lumière.

La menuiserie n'est qu'un dérivé de l'art de la charpente dont elle ne se distingue nettement que par l'échantillonnage des bois employés, le fini du travail et la destination plus spéciale aux intérieurs et aux travaux réclamant peu de résistance.

Jusqu'au xiii° siècle on employait souvent, bien que l'usage de la scie fut connu, les bois refendus appelés merrains qui réclamaient des bois très droits de fibres. Ces bois étaient travaillés au ciseau et à la gouge sans le secours du rabot.

De ce moment, la menuiserie prend un très grand essor, les procédés de travail se perfectionnent, les assemblages, très étudiés, deviennent rationnels et solides et les coupes sont exécutées avec une science et une habileté parfaites.

BARBEROT. — Menuiserie.   1

« Comme dans tout système de construction, dans la menuiserie, la matière employée doit commander les procédés d'assemblage et imposer les formes ; or, le bois est une matière qui possède des propriétés particulières dont il faut tenir compte dans la combinaison des œuvres de menuiserie comme dans la combinaison des œuvres de charpente ;... La connaissance des bois est une des conditions imposées au menuisier ; cette connaissance étant acquise, faut-il encore savoir les employer en raison de leur texture et de leur force. Le bois qui se prête le mieux aux ouvrages de menuiserie est le chêne, à cause de sa rigidité, de la finesse de ses fibres, de sa dureté égale, de sa durée et de sa beauté [1]. »

BOIS EMPLOYÉS EN MENUISERIE

D'une manière générale, tous les bois peuvent être employés en menuiserie suivant que l'on peut plus facilement trouver à proximité une essence propice au travail qu'on veut exécuter.

On peut classer les bois en quatre catégories :

1° Les bois durs, qui sont le chêne, le châtaignier, le hêtre, l'orme, le frêne et l'acacia.

2° Les bois blancs, parmi lesquels il faut citer le peuplier, l'aulne, le bouleau, le tilleul, le platane, le charme, l'érable, etc.

3° Les bois résineux, qui comprennent les pins, sapins, cèdres, pitchpins, mélèze, etc.

4° Les bois précieux : acajou, buis, campêche, citronnier, cornouiller, ébène, gaïac, noyer, sorbier, thuya, etc.

Les bois plus ou moins employés en France dans les travaux de menuiserie, sont :

Le chêne, bois propre à tous les usages. D'une belle couleur jaune foncé, uniforme, s'adoucissant un peu vers la circonférence. Cette couleur devient plus noire si le bois est longtemps exposé à l'air ou à l'eau. On emploie le chêne de Champagne, le chêne de **Bourgogne**, le chêne des Vosges, enfin le chêne de Hongrie très droit et d'une belle apparence, mais propre seulement aux ouvrages placés à l'intérieur.

Le châtaignier, peu employé en menuiserie, ressemble au chêne et possède quelques-unes de ses qualités.

[1] Viollet-le-Duc.

Le *hêtre*, plein et dur, employé surtout dans le meuble de cuisines.

L'*orme*, bois d'un brun rougeâtre, ferme, plein, souple, liant et dur. Difficile à travailler et sujet à se tourmenter, il se laisse facilement piquer par les vers ; peu employé.

Le *frêne*, très flexible, blanc, rayé de teintes jaunâtres à la séparation des couches concentriques ; peu employé en menuiserie.

Le *peuplier*, tendre, homogène, facile à travailler et léger, mais peu durable et peu résistant. Il est très employé en menuiserie. Le peuplier présente plusieurs variétés parmi lesquelles nous citerons le *tremble*, petit peuplier qui croît rapidement ; le peuplier blanc appelé vulgairement *Ypréau*, sans doute à cause de son abondance autour de la ville d'Ypres, et *bois blanc*, par suite de sa couleur ; le peuplier *grisard* ou *blanc de Hollande*, dont le grain est fin, régulier, serré et qui est employé pour les ouvrages de remplissage, les panneaux par exemple.

Le *pin* présente diverses variétés. Le pin sauvage ; le pin rouge ou pin d'Écosse ; le pin de Corse ; le pin maritime, de qualité inférieure et peu durable ; le pin blanc du Canada ou pin de Weymouth.

Le *sapin*, dont les espèces les plus communes sont le sapin de Norvège ; le sapin de Riga, rouge, d'une belle couleur et d'une grande régularité de fibres, à tissu serré, dur, résistant, se prêtant aux moulures délicates ; le sapin de France, très saigné pour l'extraction de la résine, est peu à recommander, étant, dans ces conditions, peu durable.

Le *mélèze*, dont la principale variété est le mélèze commun ou mélèze blanc, il sert aux mêmes usages que le sapin et le pin.

Le *cèdre*, blanc rougeâtre veiné, d'une grande finesse, mais trop tendre pour recevoir le poli.

Le *pitchpin*, venant principalement d'Amérique, a peu de défauts et de nœuds. Raboté, il offre une surface chaudement colorée, sa couleur est d'un jaune orangé. La résine qu'il contient le préserve des vers et de la pourriture.

Le *bouleau* blanc ou commun, dit aussi *bouillard*, bois blanc nuancé de rouge, à fibres fines, droites et serrées. Il se travaille facilement quand il est vert et se mâche sous l'outil quand il est sec. On s'en sert parfois pour faire des bâtis, des placages.

Le *tilleul*, un des meilleurs bois tendres, comme durée et solidité. Son bois est fin, blanc, se coupant bien, et se tourmentant très peu, il n'est pas sujet à être piqué par les vers.

L'*aune* ou *aulne*, croît au bord des eaux et dans les lieux humides.

Son bois est blanc, très léger, se tourmente peu, mais se corrompt promptement à l'air. Le menuisier s'en sert quelquefois parce qu'il se fend difficilement et qu'il peut recevoir le poli.

Le platane, se divise en deux variétés distinctes : le platane d'Orient, vulgairement appelé *plane* ou *plame*, et le platane d'Occident. Son bois est compact, est susceptible de se prêter aux moulures les plus fines, et de prendre un beau poli, malheureusement, sec, il se laisse attaquer par les vers.

Le charme, bois d'un blanc grisâtre tirant un peu sur le jaune. Très dur et très compact et très résistant, il peut faire d'excellentes coulisses.

Plus rarement employés en menuiserie sont les bois ci-après :

L'acajou, qui se retrouve originairement dans l'Inde et dans l'Amérique méridionale, dont le bois rouge brun ou marbré de jaune et de blanc est susceptible d'un beau poli. Il devient plus foncé en vieillissant. Ses diverses espèces sont distinguées par le dessin des veines et l'on a : l'acajou uni, l'acajou moiré, l'acajou moucheté et l'acajou ronceux.

Le buis, que nous sommes habitués à ne voir qu'en bordure et en arbuste, mais qui, sous d'autres climats, en Sardaigne, en Corse ou à Minorque atteint de grandes dimensions, est un bois d'un jaune pâle très compact, très dense et très dur ; exempt de gerçures et de carie, sa racine est agréablement veinée.

Le cyprès, fournit un bois dur, résineux et compact, de couleur pâle. veiné de rouge ; il est presque imputrescible et capable de recevoir le poli.

L'ébène, croît en Afrique. en Amérique et surtout à Ceylan. Bois très noir, très dur et très pesant. Susceptible d'un très beau poli.

L'érable. On distingue l'érable sycomore, bois dur, un peu jaune, parfois brun, surtout vers le cœur. Le grain est fin, quelquefois marbré et est propre à recevoir un beau poli. Les racines et les souches, d'un très beau dessin, sont surtout employées pour les placages. Ensuite, l'érable plane ou faux sycomore, dit aussi érable blanc ou faux platane qui fournit un bois tirant sur le gris. Le grain est moins fin, mais il est ferme, se travaille facilement et se prête au poli.

Le gaïac ou *gayac* vient de l'Amérique du Sud, bois très compact, très dur, brun légèrement veiné de jaune, il prend un beau poli. On l'emploie quand on a besoin d'une grande résistance comme ténacité ou comme usure.

L'if, originaire de Chine et du Japon. Beau bois rouge veiné, dur et susceptible de poli.

Le noyer, bois brun, légèrement veiné, serré, d'une texture fine et facile à travailler; par malheur, ce beau bois se laisse piquer par les vers.

Le thuya, arbre de Chine; ses coupes donnent des dessins extrêmement variés. D'un jaune rougeâtre, très marbré, il est aussi très odorant.

ASSEMBLAGES

Nous allons examiner seulement quelques assemblages élémentaires, parce qu'à chaque étude spéciale d'un ouvrage quelconque de menuiserie nous donnons les assemblages particuliers qui s'y rapportent.

Assemblage par superposition des pièces. — Le plus simple est le cas où deux pièces de bois reposent l'une sur l'autre. C'est le cas des

Fig. 1. — Assemblage par superposition.

traverses simplement appliquées (fig. 1), et fixées par des clous ou des vis.

Assemblage à mi-bois. — Il s'emploie lorsque, pour une cause quelconque, la traverse en saillie présenterait un inconvénient, ou lorsqu'on ne doit présenter qu'une épaisseur égale à celle d'une des pièces.

On entaille alors de moitié chacune des pièces comme le montrent en perspective nos figures 2 et 3 et on les réunit suivant la figure 4 en les fixant avec des chevilles en bois plus dur, des clous ou des vis (fig. 2, 3 et 4).

Assemblage à tenon et mortaise. — Très fréquemment employé, cet assemblage consiste à ménager un tenon sur l'une des pièces (fig. 5) ; à creuser sur l'autre pièce un trou, appelé mortaise, et affectant en creux la forme du tenon (fig. 6). On perce dans les deux pièces un trou *a* des-

tiné à la cheville, en ayant soin de percer celui du tenon légèrement
en arrière, de manière que lors de la mise en place indiquée dans la

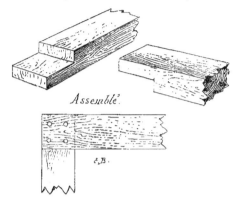

Fig. 2, 3, 4. — Assemblage à mi-bois.

coupe (fig. 7), la cheville pousse le tenon vers le fond de la mortaise

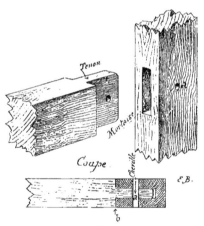

Fig. 5, 6, 7. — Assemblage à tenon et mortaise.

jusqu'à ce que les deux pièces se trouvent en contact parfait en *h*
(fig. 5, 6, 7).

Assemblage à queue d'hironde et à mi-bois. — Il ne diffère de l'assemblage à mi-bois simple que par la forme de l'entaille qui est en forme
de trapèze et disposée de manière à ce que la plus grande largeur de la
partie de l'autre pièce qui doit la remplir, soit vers l'extérieur, de sorte

qu'en supposant une traction dans le sens de la flèche *a*, les pièces ne puissent se disjoindre. Pour éviter la sortie du tenon à queue dans le sens perpendiculaire à la flèche *a*, c'est-à-dire dans le sens de la flèche *b*, on fixe par des clous ou des vis (fig. 8, 9, 10).

Assemblage à queue d'hironde, tenon, mortaise et cale. — C'est un perfectionnement de l'assemblage que nous donnons plus haut, figures 5, 6, 7. La mortaise est pratiquée assez grande pour laisser pénétrer le tenon à queue, puis, au moyen d'une cale *a* on vient obliger le tenon à queue à descendre

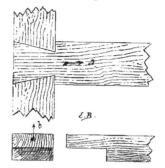

Fig. 8, 9, 10. — Assemblage à queue d'hironde et à mi-bois.

et à se placer dans la partie en glacis de même forme que le tenon et préparée pour le recevoir (fig. 11, 12).

On peut aussi avoir la queue d'hironde complète en employant une cale plus épaisse, en forme de parallélogramme, et placée obliquement. Elle doit être enfoncée à force comme la précédente (fig. 13).

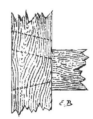

Fig. 11, 12, 13 — Assemblage à queue d'hironde.

Assemblage d'onglet. — Il s'en fait de plusieurs sortes : *l'assemblage à joint plat*, qui est peu employé, sauf dans l'encadrement, à cause de son peu de solidité. En effet, on ne peut assurer une certaine cohésion des deux pièces qu'à l'aide de clous ou de vis, c'est le procédé employé par les encadreurs pour les cadres de tableaux, pris dans des profils courants, et devant être très économiques (fig. 14).

Assemblage d'onglet à simple tenon. — Dans cet assemblage une des pièces porte un tenon qui vient s'engager dans une mortaise pratiquée dans l'autre pièce, et le tout est fixé en place par une cheville (fig. 15).

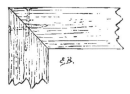

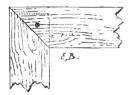

Fig. 14. — Assemblage d'onglet.   Fig. 15. — Assemblage d'onglet à simple tenon.

Assemblage d'onglet à double tenon. — Il réclame des bois d'une certaine épaisseur parce qu'il faut trouver dans ladite épaisseur un tenon et une mortaise à chaque pièce (fig. 16, 17).

On peut encore procéder par tenon indépendant, c'est-à-dire les pièces ne portant que des mortaises et le tenon mobile venant les réunir ; ainsi exécuté, cet assemblage peut être employé pour des bois de peu d'épaisseur, et l'aspect en élévation sera le même

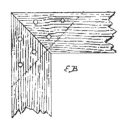

Fig. 16. 17. — Assemblage à double tenon.   Fig. 18. — Assemblage à tenon mobile.

que celui indiqué figure 16, mais différera en plan comme nous l'indiquons (fig. 18).

Assemblage d'onglet avec pigeon. — Les deux pièces portent à leur extrémité une sorte de grande rainure ; on les réunit puis on introduit dans cette rainure une pièce triangulaire qui joue un rôle analogue au tenon mobile que nous avons vu précédemment figure 16.

Le tout chevillé comme l'indique le dessin (fig. 19).

Assemblage d'onglet à clé. — Dans ce mode d'assemblage les deux pièces sont mortaisées en biais et rendues solidaires par un tenon mobile plat ou carré de section et enfoncé légèrement à force (fig. 20).

Fig. 19. — Assemblage d'onglet avec pigeon

Pour tous les tenons mobiles, il est bien d'employer du bois dur.

Assemblage à queues d'hironde multiples. — Cet assemblage s'emploie en menuiserie pour les pièces qui se présentent d'équerre l'une sur

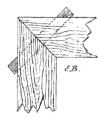
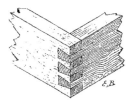

Fig. 20. — Assemblage d'onglet à clé.   Fig. 21. — Assemblage à queues d'hironde multiples.

l'autre par leur largeur. Les coupes sont faites de telle sorte que les pleins d'une des planches correspondent exactement aux entailles de l'autre et les remplissent complètement (fig. 21).

A tous ces assemblages on peut donner une plus grande solidité en les collant à la colle forte.

Assemblage à rainure et languette. — Les bois étant assez limités de largeur, cet assemblage est le plus fréquemment employé ; c'est lui qui permet de constituer des panneaux présentant de grandes surfaces.

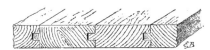
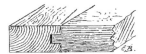

Fig. 22. — Assemblage à rainure et languette.   Fig. 23. — Assemblage d'emboîture.

C'est, en petit, un tenon et une mortaise continus, et il est généralement collé (fig. 22).

Il est aussi très souvent utilisé pour les emboîtures, pièces destinées à recevoir dans une rainure pratiquée sur la longueur d'une de ses faces, la languette des extrémités de plusieurs planches déjà jointes entre elles sur leurs côtés (fig. 23).

DÉTAILS DIVERS

Chranfrein ordinaire. — Le chanfrein simple consiste tout bonnement à abattre légèrement l'angle de la pièce (fig. 24).

Fig. 24. — Chanfrein ordinaire. Fig. 25. — Chanfrein ou gorge. Fig. 26. — Chanfrein mouluré. Fig. 27. — Rainure.

Chanfrein en gorge. — Il présente généralement la forme d'un quart de cercle (fig. 25).

Chanfrein moulure. — Le profil peut varier du quart de rond avec deux baguettes, jusqu'aux moulures très compliquées. Généralement il est plutôt simple à cause de sa dimension très restreinte (fig. 26).

Rainure. — La rainure est un petit canal poussé dans le bois et destinée à recevoir la languette (fig. 27).

Languette. — Sorte de tenon continu présentant environ le tiers de

   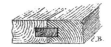

Fig. 28. — Languette. Fig. 29. — Languette à épaulement. Fig. 30. — Languette rapportée

l'épaisseur de la pièce dans laquelle elle est prise, et destiné à pénétrer dans la rainure pour rendre deux pièces de bois solidaires (fig. 28).

La languette peut être à deux arasements, comme celle ci-dessus ou à un seul arasement et est alors dite à épaulement (fig. 29).

Enfin, elle peut être rapportée, et c'est alors une tringle que l'on fait entrer dans deux rainures poussées sur l'épaisseur des deux planches que l'on veut réunir (fig. 30).

Nous devons mentionner encore la languette métallique qui a l'a-

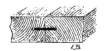
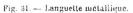

Fig. 31. — Languette métallique.

Fig. 32. — Feuillure.

vantage d'être plus résistante que celle en bois et de ne nécessiter que des rainures de peu d'épaisseur, ce qui affaiblit beaucoup moins le bois (fig. 31).

Feuillure. — Une feuillure est une entaille longitudinale destinée à recevoir une menuiserie mobile, panneau ou partie ouvrante (fig. 32). La feuillure ne doit pas être confondue avec la rainure : la feuillure ne comporte que deux plans, alors que la rainure se compose de trois.

Arrêts. — Les détails de menuiserie que nous venons d'examiner peuvent être arrêtés à une ou aux deux extrémités. Nous ne nous occuperons que des arrêts de chanfreins.

Fig. 33. — Arrêt droit.   Fig. 34. — Arrêt en biseau.   Fig. 35. — Arrêt en cuiller.

Arrêt droit. — Il peut être employé pour tous les genres de chanfreins et pour des profils quelconques. Dans notre dessin il est seulement appliqué au chanfrein rectiligne (fig. 33).

Arrêt en biseau. — Ne convient qu'au chanfrein rectiligne ordinaire (fig. 34).

Arrêt en cuiller. — On peut l'employer pour arrêter un chanfrein ordinaire ou un chanfrein en gorge (fig. 35). Cet arrêt s'obtient très facilement à la machine, on peut dire qu'obtenu ainsi il ne coûte rien puisqu'il résulte de la forme même de l'outil qui sert à pousser le chanfrein.

Arrets profilés. — On fait des arrêts profilés, plus ou moins décoratifs, et entièrement détachés des chanfreins qu'ils terminent. Ces arrêts se font à la main, sont tracés au préalable sur les deux faces et obtenus

Fig. 36, 37, 38, 39. — Arrêts profilés.

au ciseau ou tout autre outil propre à leur coupe. Nous en donnons quelques exemples (fig. 36, 37, 38 et 39).

Les arrêts de feuillures, de rainures et de languettes se font simplement par la non-continuation de ces éléments de menuiserie.

Arrondissement ou arrondi. — Pour éviter les angles dangereux on découpe en forme de quart de cercle les angles des tablettes (fig. 40), et

Fig. 40. — Arrondissement.

Fig. 41. — Arrondi d'angle de tasseau.

pour adoucir les angles on adoucit en les arrondissant sur un très faible rayon les angles de ces mêmes tablettes, des tasseaux, etc. (fig. 41).

Gorge d'écoulement. — La gorge d'écoulement est un petit canal en pente vers le milieu, que l'on fait dans les pièces d'appui des croisées pour l'évacuation des eaux de condensation (fig. 42).

Les eaux sont conduites à l'extérieur par

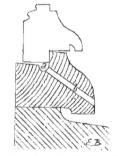

Fig. 42. — Pièce d'appui.

Fig. 43. — Coupe de pièce d'appui.

un autre petit canal perpendiculaire *b*, appelé trou de buée (fig. 43).

Entailles. — Les entailles se font généralement soit pour assembler des pièces à mi-bois (fig. 44), soit pour assurer un repos à une tablette (fig. 45, 46), ou pour tout autre besoin analogue.

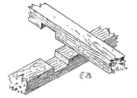

Fig. 44. — Entailles.

Fig. 45, 46. — Entailles pour tablettes.

Baguette sur joint. — La baguette sur joint sert à dissimuler, dans la mesure du possible, l'ouverture que produit le retrait du bois. Il

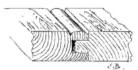

Fig. 47. — Baguette sur joint.

résulte des lignes formées par la baguette une confusion très propice à dissimuler le jour produit par la dessiccation du bois (fig. 47).

Fourrures. — Les fourrures sont des pièces de bois, généralement brutes qui servent à appuyer un lambris, tout en assurant son isolement du mur. On en trouvera une application plus loin (fig. 92).

Tringles. — Bois minces que l'on cloue sur les murs pour permettre de clouer des toiles ou des étoffes (fig. 48). Les tringles sont d'abord posées au pourtour, puis on divise la surface par des tringles verticales et horizontales pour former des panneaux permettant suffisamment d'appui à l'étoffe.

Fig. 48. — Section de tringle.

Couvre-joint. — En menuiserie, c'est une baguette plate qui sert à recouvrir les joints de cloisons en planches. Le couvre-

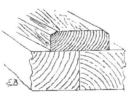

Fig. 49. — Couvre-joint uni.

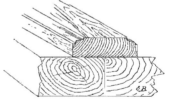

Fig. 50. — Couvre-joint mouluré.

joint peut être uni (fig. 49), ou agrémenté de profils comme nous le montrons (fig. 50).

Tasseaux. — Pour trouver un point d'appui aux tablettes, ou cloue contre le mur ou contre une paroi en bois, une pièce de section généralement carrée d'environ 0,025 de côté avec un chanfrein sur un des angles (fig. 51).

La dimension de la section du tasseau varie, naturellement, avec la charge qu'il est appelé à supporter.

Fig. 51. — Tasseau

Baguettes. — Ce sont des tringles de bois arrondies à l'extérieur. Les baguettes ordinaires sont de trois sections différentes et de 0,075, 0,010 et 0,0125 de rayon. Le quart de rond (fig. 52), qui se place dans les angles rentrants ; le demi-rond (fig. 53), qui se pose à plat sur le bord d'un angle, ou qui sert parfois de couvre-joint ; enfin, la baguette

Fig. 52. — Quart de rond. Fig. 53. — Demi-rond. Fig. 54. — Baguette d'angle.

d'angle ou trois quarts de rond (fig. 54), qui se pose à cheval sur la bissectrice de l'angle et protège ce dernier contre les écornures.

Nous donnons plus loin, figures 725 à 733 des profils de baguettes

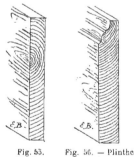

Fig. 55.
Plinthe.

Fig. 56. — Plinthe
moulurée.

moulurées pouvant convenir dans certains travaux soignés.

Toutes les baguettes sont fixées en place par un simple clouage. On peut cependant, dans certains cas, et quand le profil présente des parties plates, employer la vis.

Plinthes. — Pour garantir le bas des murs ou cloisons, on place immédiatement au-dessus du parquet des planches minces corroyées, de 0,11 de hauteur environ et de 0,013 à 0,018 d'épaisseur (fig. 55).

Les plinthes peuvent aussi être moulurées et sont alors prises dans un bois de 0,018 d'épaisseur (fig. 56).

Stylobates. — Ils ne diffèrent de la plinthe que par une hauteur plus considérable, ordinairement 0,22.

Cimaise ou cymaise. — La cimaise est une moulure qui sert de couronnement à un lambris de menuiserie ou qui règne sur les murs d'une

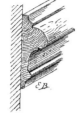

pièce à une certaine hauteur au-dessus du plancher. Elle est simplement fixée au moyen de clous
(fig. 57).

On trouvera différents profils dans nos figures
752 à 758.

Chambranles. — Les portes d'intérieur sont ordinairement encadrées d'une moulure de dimensions
variables suivant l'importance de la porte qu'elle
accompagne. Dans les constructions très simples, cette

Fig. 57. — Cimaise.

moulure peut être prise dans un bois de 0,013 × 0,050 (fig. 58). Nous
donnons un choix de profils divers (fig. 741 à 751).

Dans les travaux plus importants, le chambranle
n'est plus une simple moulure encadrant, mais un
véritable ouvrage de menuiserie composé de plusieurs pièces assemblées qui deviennent, à proprement parler, un revêtement (fig. 59).

Fig. 58. — Chambranle.

Les vantaux de porte affleurent ordinairement un des côtés du mur,

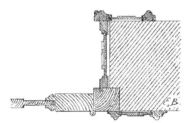 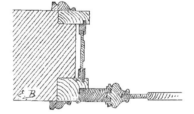

Fig. 59, 60. — Chambranle.

de manière à pouvoir se développer entièrement, et se rabattre contre

le mur en s'effaçant. De ce côté est le chambranle. De
l'autre, la baie est encadrée dans un contre-cham-
branle. Les deux cadres dormants sont réunis par un
lambris (fig. 60).

Socle de chambranle. — Cette pièce est destinée à
l'amortissement du chambranle par le bas (fig. 61, 62).
Le socle n'est pas mouluré, est un peu plus saillant que
le chambranle et taillé en biseau pour que la saillie
s'accorde le mieux possible avec le profil de la mou-

Fig. 61, 62. — Socle
de chambranle.

lure constituant le chambranle.

Socles de marches. — Ces socles remplissent, dans les escaliers, un rôle analogue à celui des plinthes dans les pièces d'habitation ; on les fait de deux façons : A ressauts, composés de planches minces ayant la même hauteur que la marche. procédé qui diminue beaucoup le déchet de bois (fig. 63).

Ou bien par parties en forme de trapèze avec coupes perpendiculaires

Fig. 63. — Socles de marches.   Fig. 64. — Socles de marches.

au rampant et une saillie de 0,05 à 0,07 au-dessus du nez de marche (fig. 64).

Comme les plinthes et les stylobates, ces socles ont de 0.013 à 0,018 d'épaisseur et peuvent être moulurés, comme nous en donnons une indication sur notre figure 64.

Barres d'appui. — Ces barres doivent être faites en bois dur, exposées qu'elles sont toujours aux intempéries. Elles reposent sur une traverse en fer ou sur un appui en fonte et pénètrent légèrement dans le mur vers le milieu du tableau des fenêtres. Elles affectent une section dans le genre des mains-courantes dont nous donnons les profils ci-après (fig. 66, 67, 68, 69 et 70).

Ou place parfois les barres d'appui en saillie sur le nu de manière à conserver le tableau disponible pour loger les lames des volets ou des persiennes. On

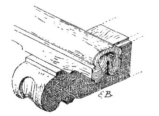

Fig. 65. — Barre d'appui en saillie.

est alors obligé de faire reposer la barre d'appui sur deux corbeaux scellés dans le mur (fig. 65), ou encore sur des corbeaux métalliques également scellés dans la maçonnerie.

Mains-courantes. — La main-courante est la partie d'une rampe ou d'un balcon sur laquelle se pose la main. La forme la plus simple est celle qu'indique la main elle-même en serrant un objet, aussi ayant besoin d'une certaine surface d'appui ou de contact, on a adopté le

Fig. 66. — Profil
en olive.

profil en olive que la main donne lorsque les doigts, le pouce et les autres serrant un objet sont encore distants de trois centimètres environ (fig. 66). Les dimensions minima sont, pour les deux diamètres différents, 0,055 de largeur et 0,034 de hauteur.

Immédiatement après vient le profil dit à gorge, peu différent du précédent. Ce profil se prend dans un bois ayant au moins 0,059 × 0,041 (fig. 67).

Fig. 67. — Profil
a gorge.

Pour les modèles à profils variés, les dimensions ne sont fixées que par la nécessité de permettre à la main de saisir la rampe pour éviter une chute, et encore en fait-on de beaucoup plus fortes, comme nous le verrons plus loin.

Fig. 68, 69, 70 et 71. — Profils de mains-courantes.

Voici quelques-uns des profils les plus couramment employés (fig. 68, 69, 70 et 71).

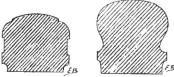

Fig. 72, 73. — Main-courante.

Les mains-courantes pour rampes et balustrades en bois ont des dimensions beaucoup plus considérables, les plus petites sont obtenues par des bois de 0,06 × 0,08 (fig. 72); d'autres dans du bois de 0,08 × 0,08 (fig. 73); enfin de dimensions plus grandes

Fig. 74, 75 et 76. — Profils de mains-courantes.

suivant l'importance et l'aspect de l'ensemble de l'ouvrage (fig. 74, 75 et 76).

On fait aussi des mains-courantes contre les murs, soit pour doubler la rampe dans un escalier large, soit dans un escalier entre murs. Ces mains-courantes peuvent être sur supports scellés (fig. 77), ou continues et en applique comme le montre la figure 78.

Huisseries. — On appelle ainsi un bâti en bois qui fait partie d'une cloison ou d'un pan de bois. Une huisserie est

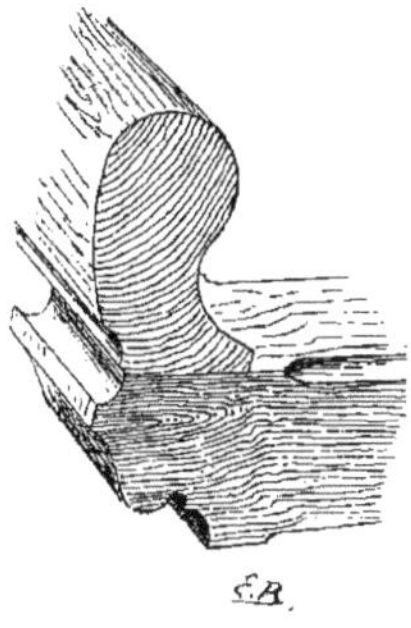

Fig. 77. — Main-courante sur support.

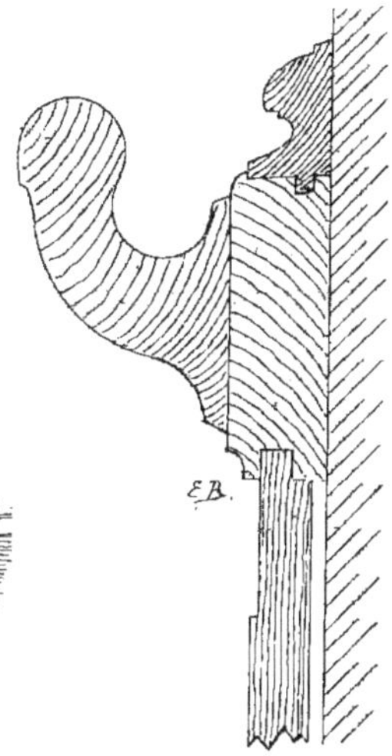

Fig. 78. — Main-courante en applique.

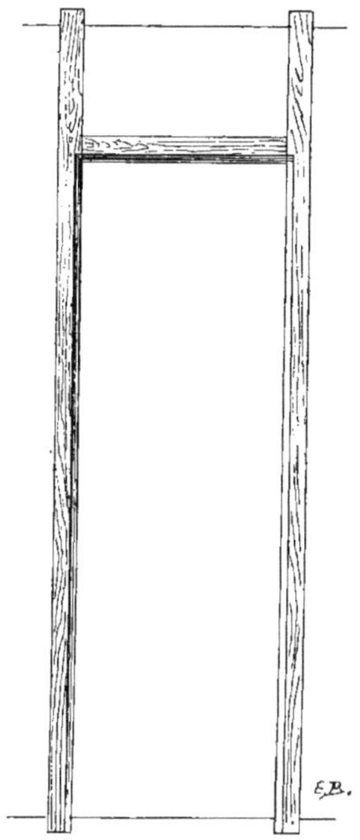

Fig. 79. — Huisserie

composée de deux poteaux et d'une traverse ou linteau (fig. 79).

Généralement, elle se fait en bois de $0,08 \times 0.80$ avec feuillure pour recevoir la porte (fig. 80). Dans les cloisons en brique de 0,11 d'épaisseur l'huisserie est faite en bois de $0,08 \times 0,15$. Ces huisseries, dans les cloisons de 0,08 et dans celles de 0,15, affleurent l'enduit et sont nervées pour recevoir le carreau de plâtre ou la brique (fig. 81), et la traverse est assemblée à tenons et mortaises.

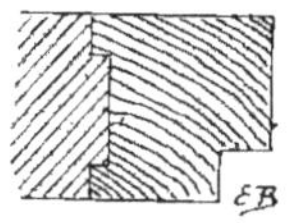

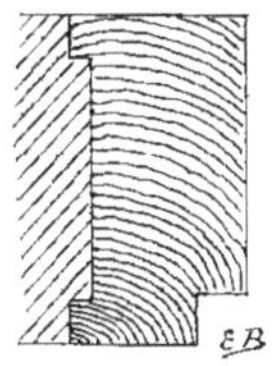

Fig. 80. — Feuillure

Fig. 81. — Poteau d'huisserie.

Dans certains cas on emploie l'huisserie à chapeau. La traverse est alors un véritable linteau (fig. 82).

Enfin, l'huisserie peut faire partie d'un pan de bois et affecter une forme quelconque. Les bois qui la composent ont alors des dimen-

sions d'équarrissage en rapport avec le pan de bois dans lequel l'huisserie doit être incorporée (fig. 83,
84).

Poteaux de remplissage. — On
appelle ainsi les poteaux qui sont
destinés à consolider les cloisons
légères en carreaux de plâtre. Ils
sont nervés sur deux faces et ont les
mêmes dimensions que les poteaux
d'huisserie suivant qu'ils sont logés

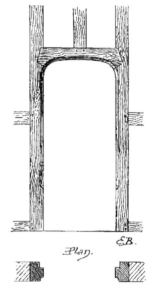

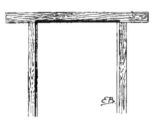

Fig. 82. — Huisserie à chapeau.   Fig. 83, 84. — Huisserie dans un pan de bois.

dans des cloisons de 0,08 ou 0,15 d'épaisseur, enduits compris (fig. 85).
Ils se placent à une distance de 1ᵐ,50 environ et doivent être scellés
haut et bas.

Fig. 85. — Poteau   Fig. 86. — Bâti et contre-   Fig. 87. — Bâti et contre-
de remplissage.   bâti.   bâti en saillie.

Bâtis et contre-bâti. — D'une manière générale, on appelle bâti l'encadrement que forment les montants et les traverses qui reçoivent les
panneaux d'une porte, d'un lambris ou encore des lames de persiennes.
Nous verrons ces différents bâtis en parlant de chacun de ces ouvrages.

Le bâti dormant d'une porte ou d'une croisée est un cadre ajusté et
scellé à demeure dans les feuillures réservées dans la maçonnerie d'une
porte ou d'une fenêtre. Les épaisseurs varient de 0,034 à 0,080.

Le contre-bâti s'emploie pour les portes et est scellé à pattes sur la face du mur opposée à celle qui reçoit le bâti. Ses dimensions sont moindres, généralement il n'a que 0,027 d'épaisseur. Il n'a aucune fatigue et protège surtout l'angle du mur.

Autrement que par sa dimension, il se différencie du bâti en ce sens qu'il n'a pas de feuillure et que c'est sur le bâti que la porte est ferrée et vient battre (fig. 86).

Les bâtis se font toujours en bois d'un échantillon plus fort que la porte ou la fenêtre qu'ils reçoivent, ainsi, par exemple, une porte de 0,034 d'épaisseur devra avoir un bâti de 0,41 : une fenêtre également en 0,034 aura un bâti de 0,041 ou de 0,054.

Dans certains cas, quand la maçonnerie présente des difficultés pour la taille des feuillures, comme les murs construits en moellons de pierre très dure et que l'on craindrait de déchausser ces pierres en les taillant soit en maçonnerie neuve, soit en percement de baie, on fait un encadrement composé de trois pièces et on place en saillie le bâti et le contre-bâti (fig. 87).

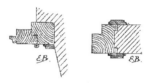

Fig. 88, 89. — Calfeutrement.

Calfeutrements. — Pour rendre invisibles les vides produits par le retrait des bois en contact avec la maçonnerie ou les plâtres, on emploie des baguettes minces qu'on cloue à des distances assez rapprochées.

Pour calfeutrer les bâtis de croisées on emploie une baguette moulurée (fig. 88) ; ou pour les huisseries, quand il n'y a pas de chambranles, deux baguettes également moulurées (fig. 89).

LAMBRIS

En menuiserie on appelle lambris des ouvrages en bois placés en revêtement sur les murailles à l'intérieur des habitations.

La disposition générale des lambris est la suivante : surfaces composées de panneaux assemblés à embrèvement dans des bâtis en bois plus épais que l'on fixe contre les parois des pièces.

On distingue deux genres de lambris : 1° les lambris d'appui dont la hauteur varie de 0ᵐ,80 à 1ᵐ,50 et plus, et destinés aux pièces dont la partie supérieure doit être tapissée ; 2° les lambris de hauteur qui garnissent entièrement les parois entre parquet et plafond.

Les lambris semblent avoir leur origine dans la nécessité de masquer les traces d'humidité qui apparaissent souvent sur le bas des murailles, aussi pour en éviter la rapide destruction, on les posait toujours isolés des dits murs par des traverses ou fourrures préalablement fixées.

Étant données les fissures inévitables, on ventilait ainsi l'espace laissé libre et on trouvait un matelas d'air propice à la conservation des bois.

Lambris d'appui. — La hauteur des lambris d'appui doit être proportionnée avec la hauteur de la pièce, mais on ne doit cependant pas négliger la destination de ladite pièce ou les objets qui peuvent servir à déterminer la hauteur.

Souvent, on fait régner la cimaise avec le dessus de la cheminée. Le mobilier peut parfois déterminer une hauteur qui ne conviendrait plus dans d'autres conditions. Dans un salon, la cimaise n'est souvent qu'à 0,50 à 0,70 du parquet.

En un mot, il serait fort difficile de donner une règle fixe pour déterminer la hauteur, et il est plus sage de la fixer dans chaque cas particulier en la mettant en harmonie avec les milieux.

On admet quelquefois que cette hauteur peut être prise égale à un quart ou un tiers de la hauteur sous plafond.

Nous connaissons des salles à manger dans lesquelles le lambris d'appui atteint 1ᵐ,40 et même 1ᵐ,60 sans présenter une hauteur d'étage proportionnelle, et qui sont cependant du meilleur effet.

Le mieux est donc de se passer de formule.

La raison d'économie a fait rechercher pour les constructions ordinaires une imitation de lambris, et on est arrive à figurer un décor suffisamment convenable par de simples moulures en bois, le fond étant fait par l'enduit en plâtre.

Fig. 90. — Faux-lambris.

Le faux-lambris se compose alors d'une cimaise, d'une plinthe ou d'un stylobate, suivant les cas, et de cadres en moulures figurant des panneaux (fig. 90). Une peinture en décor faux-bois complète cette manière de procéder.

Les panneaux peuvent avoir, au maximum, une largeur extérieure égale à un quart ou un cinquième de la hauteur du lambris. Les espaces entre panneaux, qui figurent les bâtis, varient comme largeur de 0,07 à 0,10.

L'importance des moulures doit être en rapport avec la grandeur de la pièce. Dans l'exemple que nous donnons, la cimaise fait 0,032×0,080 ; les cadres 0,013 × 0,045 et la plinthe 0,018 × 0,140.

Le lambris le plus simple, et ne comportant pas d'assemblages, mais qui ne saurait convenir dans un appartement, est composé de frises à rainures et languettes avec baguettes sur joints (fig. 91, 92).

Il est posé sur fourrures isolantes, ce qui convient en général à tous les lambris, couronné d'une cimaise et garni en bas par une plinthe.

Nous avons dit précédemment que les baguettes avaient pour objet, en plus de l'effet décoratif, de dissimuler un peu les jeux qui se produisent par suite du retrait du bois. Nous donnerons à ce sujet un conseil : la meilleure manière de faire accepter les jours que la dessiccation du bois produit entre les frises primitivement jointes, et qu'on ne peut empêcher sans employer des moyens très coûteux, est de répartir le retrait d'une manière uniforme en l'empêchant de se produire d'un

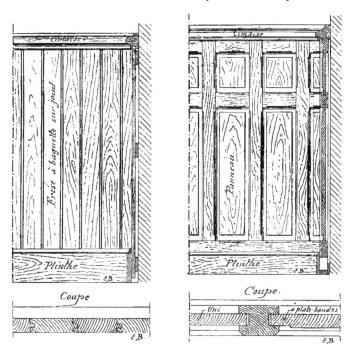

Fig. 91, 92. — Lambris par frises.   Fig. 93, 94. — Lambris assemblés.

seul côté. Le moyen pour obtenir ce résultat est fort simple, il suffit de fixer chaque frise par un clou enfoncé bien au milieu de la largeur de chaque frise. Le jeu résultant de la dessiccation se produit alors égal à droite et à gauche, et toutes les fentes deviennent sensiblement égales.

Les lambris assemblés sont composés de montants et traverses assemblés à tenons et mortaises et chevillés (fig. 93, 94), dans lesquels sont embrevés des panneaux qui peuvent être unis ou à plates-bandes, comme le montre notre figure 94.

Les lambris sont aussi parfois décorés de pointes de diamant, de sculptures dans le genre des modèles renaissance que nous donnons

(fig. 95, 96 et 97). Ils sont alors à grands cadres comme le montre la
figure 96.

Les forces des bois employés sont variables suivant les nécessités

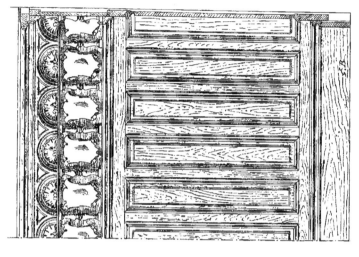

Fig. 95, 96 et 97. — Lambris.

résultant des modes d'assemblage. A titre d'exemple, si nous prenons
le modèle (fig. 95), on pourra employer les bois suivants : recouvrement de cimaise 0,005 ; cimaise 0,070 × 0,075 ; moulure en dessous
0.025 × 0,028 ; bâtis 0,025 ; grands cadres 0.034 × 0,050 ; panneaux
0,016 ; plinthe ou stylobate 0,025.

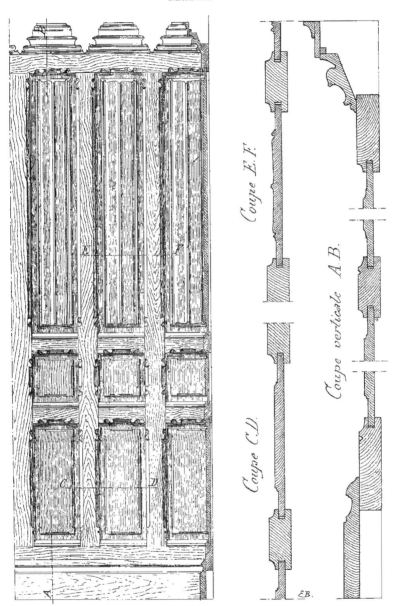

Coupe E.F.

Coupe C.D.

Coupe verticale A.B.

Fig. 98, 99 et 100. — Lambris de hauteur.

Fig. 101, 102. — Lambris de hauteur.

Lambris de hauteur. — Ils ont pour fonction, en garnissant entièrement la surface des murs, de procurer une riche décoration aux locaux
qu'ils revêtent. Mais, surtout dans les pays froids, ils ont l'avantage de
former un obstacle à l'humidité et à la buée.

Ils peuvent être très simples, dans le genre de construction employé
dans nos modèles (fig. 91, 93 et 95) ci-dessus, ou ornés de moulures
et de sculptures plus ou moins riches. Ou bien encore avec la partie

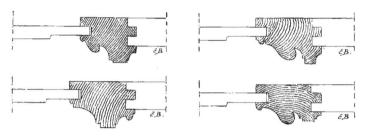

Fig. 103, 104, 105 et 106. — Profils de grands cadres.

supérieure évidée offrant un système de cadres destinés à recevoir des
tentures, des tapisseries, des peintures, des panneaux de cuir repoussé,
etc., car on comprend aisément que le panneau de bois peut toujours
être remplacé par un des fonds décoratifs que nous venons d'énu-
mérer.

Voici (fig. 98, 99 et 100) un exemple de lambris d'une construction très simple sur lequel nous avons figuré le profil se raccordant

Fig. 107. — Barre à queue.

Fig. 108. — Panneau en deux épaisseurs
contrariées de fibres.

avec le solivage du plafond, comme on le voit dans la coupe AB. La
coupe CD donne la section dans les panneaux inférieurs et celle EF dans
les panneaux du haut qui sont profilés en parchemins.

Avec les figures 101, 102, nous donnons un lambris genre Louis XVI
à grand cadre qui va motiver la description de certains détails pouvant
présenter un véritable intérêt.

Tout d'abord nous donnons (fig. 103, 104, 105 et 106) des profils de
grands cadres spéciaux pour les menuiseries ne comportant qu'un seul
parement apparent.

D'autre part, les grandes surfaces des panneaux ne peuvent natu-

Fig. 109. — Barre métallique.

rellement être obtenues que par la juxta-
position de plusieurs planches, d'où il
résulte que ces grands panneaux peuvent
se tourmenter, se voiler, et ne présenter
que des surfaces contrariées avec parties
en saillie et parties rentrantes, ce qui
est d'un fort mauvais effet si les bois sont polis et cirés ou vernis, mais
même encore avec les peintures mates, bien que la défectuosité soit
atténuée par ce genre de peinture.

Quand les panneaux présentent une certaine largeur, ils sont formés
de plusieurs planches assemblées à rainures et languettes et collées.
Ces planches doivent être étroites parce qu'ainsi elles sont moins sujettes
à se voiler.

On arrive à éviter les déformations de la surface à l'aide de barres
dites à queue, entaillée à queue d'hironde dans le panneau (fig. 107), ou
encore, mais le procédé est coûteux, en constituant les panneaux de
deux épaisseurs de bois à fibres contrariées et collées (fig. 108).

Nous pouvons encore mentionner le système de barre métallique
composé d'un fer glissé dans une rainure de même forme et obtenue
mécaniquement à la toupie (fig. 109).

CLOISONS

Les cloisons en bois peuvent souvent être préférées aux cloisons en brique ou en carreaux de plâtre, là surtout où l'on a affaire à un plancher ne pouvant supporter une lourde charge, ou encore si l'on n'est pas dans l'obligation de tenir compte de la transmission des bruits.

Cloisons de caves. — Les cloisons de caves sont composées : de montants 0,08 × 0,08 scellés haut et bas et espacés d'environ 2ᵐ,50. Sur

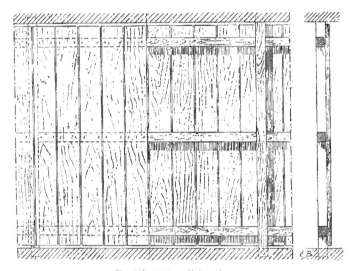

Fig. 110 et 111. — Cloison de cave.

ces montants sont assemblées deux ou trois traverses, suivant la hauteur des caves, en bois de mêmes dimensions. Enfin, sur ces traverses, on vient clouer des planches verticales de 0,034 × 0,320 en laissant entre elles un jour variant de 0,010 à 0.014 (fig. 110 et 111).

Ces cloisons se font généralement en bois brut de sciage, chêne, hêtre ou même sapin de largeur plus ou moins grande suivant les matériaux dont on dispose.

Cloisons de séparation. — C'est à celles-ci que nous faisons allusion en commençant.

Souvent, pour recouper une pièce de grande dimension et surtout

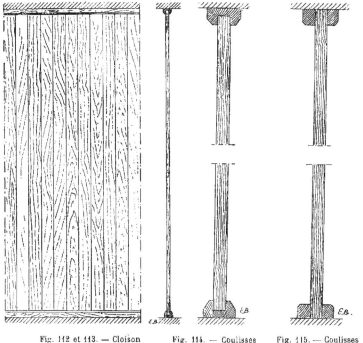

Fig. 112 et 113. — Cloison   Fig. 114. — Coulisses   Fig. 115. — Coulisses
    en planches.   de cloison.   de cloisons par des tasseaux.

comme nous le disons plus haut lorsque le plancher ne se trouve pas dans les conditions de résistance nécessaires pour porter une cloison lourde, on constitue la cloison au moyen de planches jointives réunies à rainure et languette (fig. 112 et 113).

L'épaisseur des planches varie de 0,027 à 0,041 suivant que la hauteur est plus ou moins considérable.

Pour fixer en place une cloison de ce genre, on place haut et bas une coulisse rainée dans laquelle les planches viennent s'engager. La coulisse du haut est d'une seule pièce, mais celle du bas, pour permettre

la mise en place des planches, doit être en deux pièces, c'est-à-dire
qu'après la pose des planches la coulisse est complétée par une sorte
de tasseau qui les empêche de sortir (fig. 114).

Fig. 116, 117 et 118. — Séparation de bureaux.

On peut aussi remplacer les coulisses par des tasseaux haut et bas,
ce qui permet aux planches de pénétrer plus profondément qu'avec la
coulisse. Il suffit de poser d'abord les tasseaux en plafond, puis de
régler, bien à l'aplomb, un tasseau sur le parquet. On pose alors
les planches en les faisant pénétrer entre les deux tasseaux du plafond
puis on les applique contre le tasseau du bas ; il ne reste plus qu'à fixer
le deuxième tasseau inférieur et la cloison est complète (fig. 115).

Un moyen mixte consisterait à procéder en employant la coulisse par le haut et le double tasseau par le bas.

Il va sans dire que ces cloisons peuvent être décorées comme le surplus de la pièce, mais il importe de choisir des bois absolument

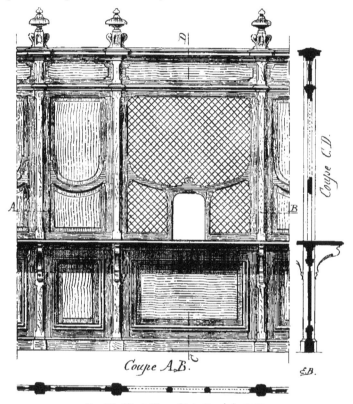

Fig. 119, 120 et 121. — Séparation de bureaux.

secs, car autrement le retrait produirait à chaque joint une ouverture d'un déplorable effet. Malheureusement, le bois joue d'une façon telle qu'il est bien difficile d'éviter l'ouverture des joints ; aussi peut-on conseiller, après avoir laissé le bois faire son effet, de maroufler une toile sur laquelle on peut peindre. Dans le cas de tenture en papier peint, on se contente de tendre une toile à tissu peu serré en la clouant au pourtour et sur laquelle on vient coller le papier. Tous les mouvements sont alors dissimulés par ce masque, et c'est encore la meilleure solution.

Cloisons de séparation de bureaux. — Elles occupent parfois toute la hauteur et comportent un soubassement des montants et des petits bois en bois ou métalliques (fig. 116, 117 et 118).

Dans les grandes salles, pour maisons de banque, de commerce, etc., on fait des séparations montant seulement à 2 mètres ou 2^m,50. Celles donnant sur les halls se font souvent avec tablettes et guichets pour le service des caisses et les communications avec le public. Dans la frise du haut se placent les inscriptions (fig. 119, 120 et 121).

Cloisons ajourées. — Plus spécialement employées dans les églises, où elles servent à clôturer le chœur et les chapelles. On fait des cloisons ajourées composées d'une partie pleine jusqu'à hauteur d'appui, et au-dessus une partie ajourée portant le tout à 2^m,50 de hauteur environ (fig. 122 et 123).

Nous appelons l'attention sur l'importance qu'il y a à donner à la traverse supérieure formant couronnement une assez grande force pour assurer la solidité de la

Fig. 122 et 123. — Cloison ajourée.

cloison. Elle s'y prête bien étant donnée la largeur horizontale que nécessitent les profils, c'est sur elle et sur celle d'appui que l'on doit compter pour établir un ouvrage suffisamment résistant et stable.

Voici un deuxième exemple (fig. 124 et 125).

ARMOIRES FIXES

Elles sont parfois réservées dans la maçonnerie et alors ne comportent comme menuiserie que des tablettes sur tasseaux, un dormant

Fig. 124 et 125. — Cloison ajourée.

fixe de 0,034 affleurant le nu du mur, et une porte à un ou deux vantaux suivant que la largeur est considérable. La porte est alors faite en bois de 0.027 avec panneaux 0,018 à glace.

Elles sont généralement sous tenture comme dans l'exemple que nous donnons (fig. 126, 127 et 128).

Fréquemment aussi, elles sont des meubles, comme l'exemple qu'on verra plus loin (fig. 661 à 668). ou encore des parties fixes

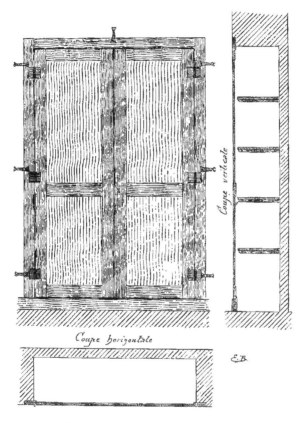

Fig. 126, 127 et 128. — Armoire sous tenture.

placées contre le mur qui en forme le fond. Suivant leur destination, elles ont une, deux, ou un plus grand nombre de tablettes. Une armoire-penderie comporte une ou deux tablettes par le haut et on laisse libre une grande hauteur où des pitons fixés sous la tablette inférieure servent à suspendre les vêtements. Une armoire à linge est garnie de tablettes espacées d'environ 0,40. Ces tablettes ont généralement

0,027 d'épaisseur et portent sur des tasseaux. Si l'armoire est grande on place des montants assez rapprochés pour empêcher les tablettes de fléchir, suivant le poids que les dites tablettes doivent porter.

La profondeur des armoires varie de 0,40 à 0,60, mesure intérieure.

PORTES EXTÉRIEURES

Les portes extérieures n'ont généralement pas les deux faces semblables. On comprend que la face interne, donnant sur une pièce, peut et doit être autrement traitée que la face externe donnant sur rue ou sur cour.

D'autre part, l'une se trouve abritée, et l'autre est exposée à toutes les intempéries.

Il serait donc rationnel, de ne présenter vers l'extérieur que des surfaces unies, n'arrêtant pas les eaux et ne se prêtant pas à l'amas des poussières, mais il faut compter avec les nécessités d'aspect, de caractère spécial à donner suivant le style choisi, et aussi devons-nous dire avec le besoin de décoration.

Nous ne pouvons donc que conseiller de s'inspirer de ce qui précède pour étudier les menuiseries extérieures, d'une manière générale, avec des profils se prêtant le moins possible aux inconvénients signalés.

PORTES DE CLOTURE

Les portes de clôture se trouvent naturellement exposées de tous côtés, il faut donc les concevoir très robustes, les construire en matériaux autant que possible imputrescibles.

Les propriétés, les enclos, les enceintes de cours, les parcs, les jardins, etc., sont fermés par des clôtures dans lesquelles sont pratiquées des portes pour piétons, véhicules ou bestiaux.

Parfois encore des portes sont ménagées dans les murs de clôture. Nous allons en examiner un certain nombre.

Guichet. — On appelle guichet, une petite porte pratiquée dans une porte cochère, nous l'examinerons en même temps que cette dernière, mais on donne ce nom aussi parfois à de petites portes placées près

d'une grande ou même à des portes ménagées dans un mur. Ces portes
sont seulement destinées au passage des piétons.

On donne encore ce nom à de petites ouvertures, généralement
grillées, qui permettent de reconnaître le visiteur, sans être obligé d'ou-

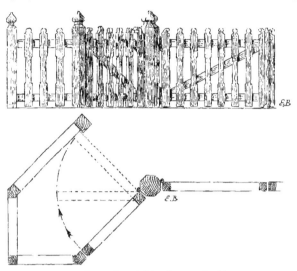

Fig. 129 et 130. — Guichet dans une barrière.

vrir la porte, et aussi aux petits châssis qui servent dans les gares de
chemins de fer, les théâtres, etc., à la distribution des billets ou des
cartes d'entrée.

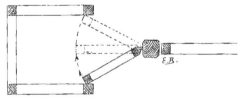

Fig. 131. — Guichet dans une barrière.

Dans une barrière, voici deux exemples que nous figurons en plan
et qui sont destinés à être toujours ouverts pour les piétons sans jamais
laisser le passage libre aux animaux (fig. 129 et 130).

La porte se déplace entre les deux côtés d'un petit sas où le piéton
se réfugie pour pouvoir remettre la porte dans sa position primitive et
trouver libre passage.

Voici une variante du même ordre (fig. 131) pour laquelle nous ne donnons que la disposition en plan.

Une disposition assez fréquente est celle d'une porte charretière accompagnée d'un portillon ou guichet latéral. L'exemple que nous donnons est de construction très simple, mais en même temps très robuste. Porte et portillon sont entièrement garnis d'un fort grillage pour faire obstacle au passage des animaux (fig. 132).

Cette entrée est composée de piliers extrêmes en maçonnerie ; entre

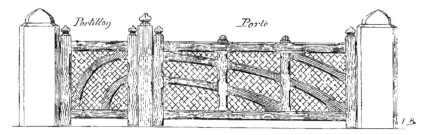

Fig. 132. — Porte charretière et guichet.

la porte et le portillon, un montant battement de 0,16 × 0,16 ; les châssis en 0,07 × 0,14; écharpes et montants 0,07 × 0,12. Le tout en chêne.

Un autre modèle construit par nous dans une propriété du département de la Sarthe comprenant porte à deux vantaux et guichet est représenté (fig. 133 et 134).

La construction en est mixte, c'est-à-dire que le bois et le fer sont utilisés simultanément. Le bois de chêne apparent et verni a été employé pour cet ouvrage.

Cette clôture est construite de la manière suivante : Montants dormants 0,20 × 0,24, renforcés par des fers ⊔ 0,050 × 0,140 dont les ailes sont encastrées dans ledit montant, le tout serré à boulons est pris en scellement dans un massif de maçonnerie. Les montants pivots ont 0,16 × 0,08 ; les montants battements et les traverses haute et basse sont pris dans des bois de 0,13 × 0,08 ; le battement proprement dit a 0,05 × 0,10 et les barreaux obliques 0,07 × 0,07. Le tout avec chanfreins arrêtés comme le montre notre dessin.

Les ferrures d'appliques et tirants ornés sont en fer de 0,008 d'épaisseur, et les tirants sont isolés des barreaux obliques par des boules, de manière à empêcher l'eau de s'arrêter et de corrompre les bois.

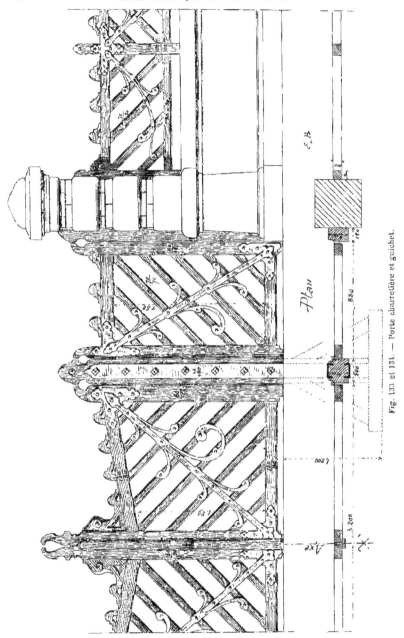

Fig. 133 et 134. — Porte charretière et guichet.

PORTE COUVERTE

Dans beaucoup de propriétés, les portes comprise dans la clôture et permettant l'accès, sont couvertes et bien improprement on les appelle portails.

Fig. 135 et 136. — Porte de clôture couverte.

La couverture a l'avantage de protéger, au moins dans une certaine mesure, la porte contre les intempéries. La ferrure surtout, mieux garantie contre la pluie, fonctionne mieux et se conserve en bon état plus longtemps.

Au point de vue architectural, la couverture de la porte permet d'en faire un motif de décoration et donne à l'entrée une importance

qui la désigne à distance et sert à la différencier des entrées secondaires, de service ou autres.

Voici un exemple de ce genre, que nous avons dessiné pour une
importante propriété à Saint-Cloud.

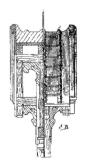

La porte exécutée en chêne et vernie, fait motif
principal dans un ensemble de clôture par des grilles
en fer posées entre pilastres en maçonnerie (fig. 135
et 136).

Certes, si l'on s'en tient aux seules nécessités de la
construction, on peut se demander pourquoi l'emploi
de bois curvilignes qui évidemment ne sont pas indispensables à la solidité, les parties droites étant, de
beaucoup, les plus propres à subir un effort.

Mais il n'y a pas que la construction seule, il faut
décorer et obtenir un effet s'harmonisant avec le milieu et la destination, aussi plus ou moins de richesse,

Fig. 137. — Demi-
élévation et demi-
coupe.

et c'est ce qui oblige toujours à demander aux formes
dissemblables des parties composant un ouvrage, et par opposition aux
pièces droites, l'effet spécial ou la décoration qu'on se propose d'obtenir.

Cette porte, de 1ᵐ.90 de passage libre, est établie entre deux pilastres en maçonnerie distants de
4ᵐ,29.

Les montants dormants, qui
supportent en même temps que
la porte la petite couverture, sont
en bois de $0,18 \times 0,18$ avec appliques $0,08 \times 0,08$ sur lesquelles
est ferrée la porte.

Un arc en bois de $0,15 \times 0,15$,

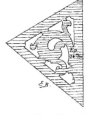

Fig. 138 et 139. — Découpages.

interrompu aux montants, sur lesquels il est assemblé à tenon et mortaise, franchit l'espace entre les pilastres en maçonnerie.

Le châssis de la porte est en bois de $0,05 \times 0,12$ et les barres obliques en $0,04 \times 0,08$.

Le fronton est composé de potelets de $0,08 \times 0,08$ et $0,10 \times 0,10$
soutenant un arc parallèle au premier en $0,14 \times 0,14$, les potelets sont
continués jusque sous le chevronnage que supportent des petites pannes
de $0,10 \times 0,10$ (fig. 137).

Les triangles formés par les montants et les jambes de force obliques
sont en bois de 0,034 découpés suivant nos dessins (fig. 138 et 139).

Pour équerrer les petites pannes et les maintenir horizontales, on a

Fig. 140. — Console.   Fig. 141. — Culot.   Fig. 142. — Profil
de grand cadre.

placé de chaque côté des montants des petites consoles que nous représentons (fig. 140).

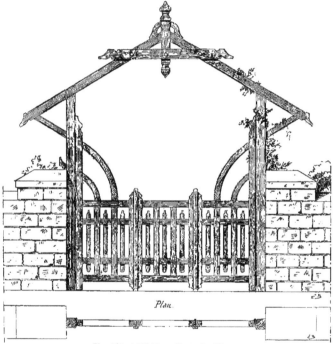

Fig. 143 et 143 *bis*. — Porte de clôture.

Un parquet 0,025 composé de frises étroites avec baguettes sur joints supporte la couverture en tuile.

La figure 141, représente le culot placé au milieu sur le grand arc, et à l'aplomb du potelet de 0,10 × 0,10.

Tous les bois sont ornés de chanfreins arrêtés.

Le soubassement de la porte est à grands cadres pris dans un bois de 0,07 × 0,09 avec panneaux 0,034 à plates-bandes (fig. 142).

On peut, avec beaucoup moins de frais, accuser l'entrée d'une propriété, en somme il suffit d'un motif quelconque plus élevé que la clôture courante.

C'est ce que nous essayons de démontrer (fig. 143).

Nous faisons servir ce dessin pour donner une nouvelle combinaison de vantaux qui permet à la fois la porte charretière et le portillon ou guichet. En effet, la porte est divisée en trois vantaux. Si on fixe par des verrous les vantaux extrêmes, celui du milieu qui est ferré sur celui de droite pourra ouvrir seul et formera ainsi entrée pour piétons. La figure 143 *bis* donne le plan de cette porte.

PORTES DANS LES MURS DE CLOTURE

Généralement, la maçonnerie forme le dormant et porte une feuillure dans laquelle vient battre la porte qui est ferrée de pentures ou de paumelles à gonds. La gâche, dans ce cas, est scellée dans la maçonnerie.

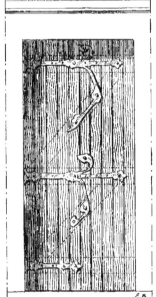

Fig. 144. — Porte dans un mur de clôture.

Ces portes peuvent être très simples : par frises à baguettes sur joints de 0,027 à 0,034 d'épaisseur, avec, vers l'intérieur, des traverses et écharpes en bois de 0,034 × 0,080 chanfreinées. Si la porte est grande, on peut être amené à faire ces traverses en 0,041 d'épaisseur (fig. 144).

Les portes de ce genre ont ordinairement de 0,90 à 1 mètre de largeur, et une hauteur variant de 2^m,25 à 2^m,40. Les pentures peuvent être unies, ou forgées dans le genre de notre dessin.

On en fait aussi à panneaux avec bâti de 0,041 ou 0,054 d'épaisseur et panneaux de 0,027 à 0,034 (fig. 145 et 146).

Enfin, dans certains cas, ces portes peuvent être plus ou moins richement décorées et construites d'une manière moins simple que celles qui précèdent. C'est dans cet ordre d'idées que nous avons dessiné la figure 147.

Exposées aux intempéries, elles doivent toujours être en chêne.

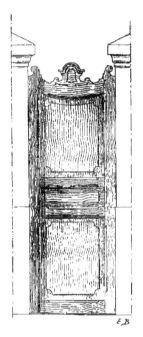

Fig. 145 et 146. — Porte dans un mur.   Fig. 147. — Porte dans un mur.

PORTES D'ÉCURIES

Les portes destinées aux écuries se font d'une largeur relativement grande, 1^m,20 au moins, de manière à ce que l'entrée se fasse sans frottement d'aucune sorte pour ménager la robe des animaux appelés à y passer.

Leur construction est très variable. En principe, comme pour toutes les portes extérieures, il faut les concevoir de façon à ce qu'elles soient le plus possible garanties contre les effets de la pluie.

Pour cela le moyen le plus simple est de ne faire à l'extérieur que
le moins de saillies possible de manière à ce que l'eau ne puisse séjourner.
Les portes peuvent alors ne présenter du côté exposé que des frises
verticales peu propres à emmagasiner la pluie.

Mais on a parfois besoin d'avoir un aspect extérieur exempt de la

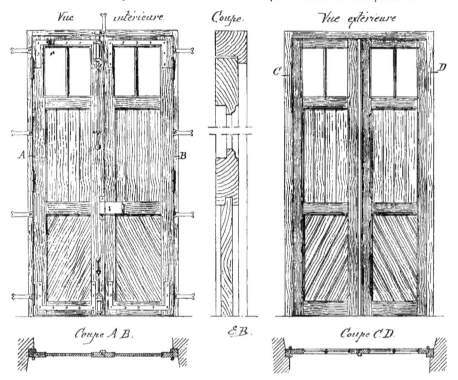

Fig. 148, 149, 150, 151 et 152. — Portes d'écurie.

monotonie que donnent les frises, et on a alors recours à la construction comportant des bâtis apparents et par conséquent des saillies.

C'est un exemple dans ce genre que nous donnons (fig. 148, 149,
150, 151 et 152).

Nous avons représenté cette porte vue sur les deux faces, intérieure
et extérieure.

Elle est composée de frises à baguettes sur joints en bois de $0,027 \times$
$0,110$ dans un bâti mobile en bois de $0,054$ qui vient battre dans un
bâti dormant de $0,070 \times 0,070$ fixé par des pattes dans la maçonnerie.

La figure médiane donne la coupe dans la partie supérieure — partie vitrée. — La coupe AB est la section horizontale dans le pan-

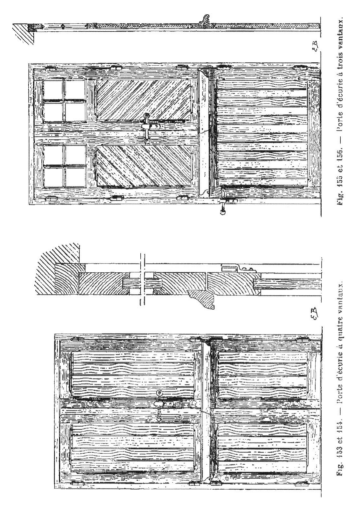

Fig. 155 et 156. — Porte d'écurie à trois vantaux.

Fig. 153 et 154. — Porte d'écurie à quatre vantaux.

neau plein et la coupe CD est faite horizontalement aussi, dans la partie vitrée du haut.

Les petits bois peuvent être en bois ou en fer ; ce dernier prenant moins de place, est un peu plus propice à l'éclairage.

Lorsqu'on laisse les chevaux non attachés et qu'on veut néanmoins laisser pénétrer l'air et la lumière, que de plus on veut permettre aux animaux l'innocente distraction de regarder dehors, on fait les vantaux recoupés vers la hauteur d'appui à $1^m,20$ environ du sol. On peut ainsi ouvrir en entier la partie supérieure tout en empêchant les chevaux, laissés libres de toute longe, de sortir de l'écurie (fig. 153 et 154).

Cette disposition est bonne, mais a l'inconvénient de rendre la porte moins robuste, et pour y obvier dans la mesure du possible, on fait parfois la partie inférieure à un seul vantail et celle supérieure à deux vantaux (fig. 155 et 156).

Pour éviter l'entrée de la pluie, les vantaux supérieurs sont, dans les deux exemples ci-dessus, garnis à leur partie inférieure de jets d'eau suffisamment saillants pour renvoyer les eaux.

PORTES DE REMISES

Destinées à l'entrée des voitures, ces portes doivent être de dimensions relativement grandes. L'ouverture doit avoir, au minimum $2^m,50$ de largeur sur $2^m,70$ de hauteur.

Elle peuvent être composées d'un bâti dormant $0,70 \times 0,70$ scellé, de montants ouvrants et traverses $0,054 \times 0,120$ encadrant des panneaux composés de frises $0,027 \times 0,110$ (fig. 157 et 158). La figure 157 montre la porte vue de l'intérieur et de l'extérieur ; la coupe figure 158 montre la position des panneaux embrevés dans les bâtis.

Généralement, ces portes sont à deux vantaux et développent vers l'extérieur. Cette disposition n'est pas toujours commode, aussi fait-on souvent ces dites portes roulantes, en une pièce ou en deux pièces suivant les conditions particulières qu'on peut avoir à contenter.

On comprend que, bien suspendues, munies d'appareils de roulement très doux, elles peuvent être bien légères et sont peu propres à se déformer.

Un autre avantage à signaler est la suppression du bâti dormant. (fig. 159 et 160).

PORTE D'ENTRÉE DE CHARBON

Cette petite porte n'est peut-être pas très à sa place ici, mais elle y est toujours aussi bien qu'un chien dans un jeu de quilles, et nous lui conserverons cette place parce que son changement et sa mise en place

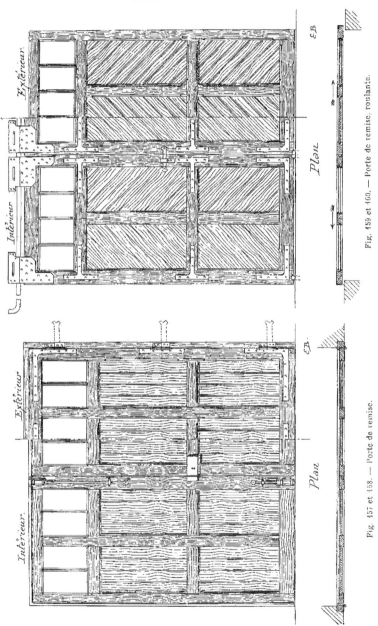

Fig. 159 et 160. — Porte de remise: roulante.

Fig. 157 et 158. — Porte de remise.

à un endroit plus propice nous entraînerait à changer tous les numéros des nombreuses figures qui vont suivre.

Donc nous prions nos lecteurs de nous pardonner cette légère entorse au classement, et nous continuons.

Dans la hauteur du soubassement on réserve parfois des petites ouvertures destinées à l'entrée du charbon, du bois, et généralement de toutes matières dont on doit emmaganiser une certaine quantité et dont le transport au travers de l'habitation serait susceptible de causer de graves détériorations.

Dans les localités heureuses, assez privilégiées pour n'avoir pas de règlements, on fait ouvrir ces portes à l'extérieur et on pratique la fermeture de l'intérieur.

Partout autre part on les fait développer vers l'intérieur. C'est le cas de la porte que nous représentons (fig. 161, 162, 163).

Elle peut être faite à un ou deux vantaux comme notre dessin l'indique et la seule chose sur laquelle nous insisterons est la nécessité de faire

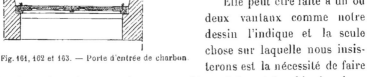
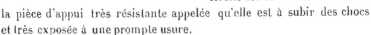

Fig. 161, 162 et 163. — Porte d'entrée de charbon.

la pièce d'appui très résistante appelée qu'elle est à subir des chocs et très exposée à une prompte usure.

Dans une porte de ce genre, que nous avons exécutée, nous avons remplacé la pièce d'appui par un fort fer ⊔ posé légèrement incliné vers l'extérieur pour renvoyer l'eau de ce côté.

PORTES CHARRETIÈRES

Les portes charretières sont ordinairement à deux vantaux. Elles doivent offrir un passage libre de 2ᵐ,60 au moins de largeur. Suivant les cas spéciaux et la destination, cette largeur peut aller jusqu'à 5 mètres et plus.

La hauteur est également très variable, on comprend que si, par exemple, la porte dessert un magasin à fourrage la hauteur peut être amenée à dépasser 6 mètres.

La construction doit être particulièrement robuste, car ces portes sont généralement plutôt brutalisées.

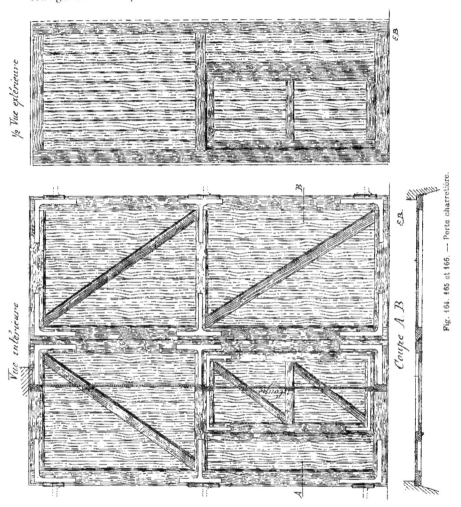

Fig. 164, 165 et 166. — Porte charretière.

Nous n'indiquons pas ici de détail de bois parce que les dimensions variant, on sera fatalement amené aussi à varier les forces (fig. 164 et 165).

Ces portes étant souvent très lourdes, il serait pénible pour le passage des piétons de se servir d'un vantail, et pour parer à cette difficulté on fait presque toujours dans un des vantaux une petite porte ou guichet qui assure le service.

Coupe A.B.

Fig. 167 et 168. — Porte charretière.

La figure 166 montre le vantail portant guichet vu de l'extérieur.

Les formes peuvent varier, la baie peut être cintrée, en anse de panier ou même en plein cintre. Les écharpes doublées comme dans les figures 167, 168, ce qui a l'avantage de mieux soutenir les frises formant les panneaux.

Ce deuxième exemple comporte également un guichet, mais placé dans le milieu du vantail.

Le passage par le guichet ne se fait pas de plain-pied, on est obligé de poser le pied sur la traverse, et alors il faut prendre la précaution

Fig. 169 et 170. — Portes d'entrée.

signalée ci-après, ou on est obligé d'enjamber la traverse basse qu'on est dans la nécessité de conserver pour ne pas détruire entièrement la solidité de la porte en supprimant cet élément essentiel.

On comprend que la traverse inférieure serait promptement usée par le frottement du pied au passage des piétons. Aussi prend-on la précaution de la protéger par un seuil en tôle striée dans la largeur du guichet.

Voici les dimensions approximatives de bois pouvant convenir pour construire cette dernière porte :

Montants et traverse supérieure, 0,07 × 0,17 ; traverse intermédiaire, 0,07 × 0,15 ; traverse inférieure, 0,07 × 0,19 ; écharpes, 0,04 × 0,11 ; panneaux par frises, 0,030 d'épaisseur.

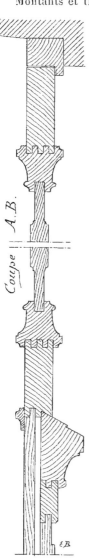

A notre avis, un guichet dans une porte est toujours une cause d'affaiblissement, et, quand cela est possible, il vaut toujours mieux mettre le guichet à un autre endroit, autre part que dans la porte.

PORTES D'ENTRÉES DE MAISONS

Suivant l'importance de la maison, ces portes se font à un ou deux vantaux. La largeur minimum est de 1 mètre pour les portes à un vantail (fig. 169). On en fait bien aussi de 0,90 et même 0,80, mais seulement dans des maisons ne comportant que de petits logements. Ce modèle est un peu fantaisiste et plus généralement les portes s'exécutent dans le genre de la figure 170, avec bâti dormant 0,070 × 0,070 ; bâti mobile 0,054 ; moulures à grands cadres, et panneaux 0,034 à plates-bandes.

La figure 171, donne du reste les sections, et montre la construction du soubassement dont les faces, intérieure et extérieure, ne sont pas semblables.

Certaines portes sont traitées d'une manière plus ou moins originale, et d'un style s'harmonisant avec l'ensemble architectural. Le modèle que nous donnons (fig. 172) n'est pas à recommander, parce que le découpage excessif ne peut que nuire à la solidité toujours réclamée à une porte sur l'extérieur. Très ouvragée, elle serait par suite d'un prix assez élevé.

Elle serait, croyons-nous, plus à sa place employée comme porte intérieure.

Fig. 171. — Coupe A B.

Les portes à deux vantaux ont toujours au moins 1^m,30 de passage, car un des vantaux étant souvent immobilisé, la largeur de celui ouvrant, 0^m,65 est un minimum au-dessous duquel on ne saurait descendre.

La hauteur des portes d'entrées, non compris l'imposte, ne doit guère être inférieure à 2^m,50 car le passage des meubles serait plus difficile si l'on s'arrêtait à une hauteur moindre.

Pour éclairer le vestibule d'entrée, on fait souvent les portes vitrées

Fig. 172 et 173. — Portes d'entrée.

par le haut, surtout s'il n'y a pas d'imposte, et cette disposition peut convenir aussi bien aux portes à un vantail qu'à celles à deux vantaux.

Mais il faut néanmoins conserver à la porte son caractère de sécurité et lui conserver toutes ses qualités de clôture. Pour cela on garnit le vide par un panneau à jour en fonte ou en fer forgé (fig. 173). Le panneau ne doit pas pouvoir se démonter du dehors, aussi, souvent il est pris dans une rainure et est mis en place au moment du montage de la porte.

Mais en cas de rupture ou de détérioration du panneau, on peut avoir besoin de le déposer et on est alors dans l'obligation absolue de décheviller la porte. C'est un grave inconvénient, aussi se contente-t-on de poser le cadre du panneau dans une feuillure intérieure comme il est indiqué (fig. 174), en le fixant par des vis fraisées disparaissant complètement

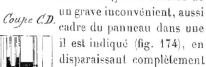

Coupe C.D.

Coupe A.B.

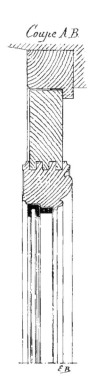

Coupe E.F.

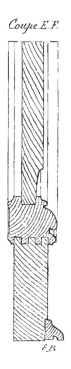

Fig. 174, 175 et 176.

et cachées par un rebouchage, ce qui rend leur recherche difficultueuse, surtout de l'extérieur.

Le verre destiné à empêcher l'entrée de l'air et du froid est logé dans un cadre en fer rainé qui est placé dans une deuxième feuillure voisine de celle qui reçoit le panneau (fig. 175).

Cette porte peut être construite de la façon suivante : bâti dormant 0,070 × 0,070 ; bâti ouvrant 0,050 ; grands cadres 0,070 × 0,075 ; panneaux 0,32 (fig. 176).

Lorsque l'éclairage du vestibule n'est pas indispensable, lorsque le dit vestibule est, par exemple, éclairé à l'autre extrémité, les portes peuvent être à panneaux pleins, en bois, et affecter un aspect dans le genre de notre dessin (fig. 177).

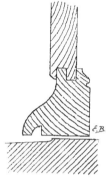

Fig. 178. — Jet d'eau.

Fig. 177. — Porte d'entrée.

Fig. 179. — Jet d'eau.

Les deux faces opposées des portes ne sont pas toujours semblables. Le côté intérieur, peu vu en général, peut être traité d'une manière plus sobre. De plus, le côté extérieur exposé à la pluie gagnerait à être étudié de façon à rejeter les eaux pluviales le plus promptement possible, ce qui garantit toujours une durée plus longue à l'ouvrage.

On doit aussi penser à éviter l'entrée de l'eau chassée par le vent et qui pourrait pénétrer alors dans le vestibule. Pour cela, on garnit parfois la partie inférieure de la porte d'un jet d'eau assez saillant pour rejeter ces eaux en avant d'où elles coulent directement dehors si le seuil est légèrement en pente (fig. 178).

On obtient encore un meilleur résultat avec la pièce d'appui en fonte ou en fer, mais malheureusement cela crée un tel obstacle au passage qu'on préfère presque toujours subir l'inconvénient de l'eau (fig. 179).

Fig. 180. — Porte d'entrée.

Les portes qui précèdent sont très simples, destinées qu'elles sont à des maisons ordinaires, et bien que notre intention soit de conserver à notre livre un caractère de stricte utilité, nous donnerons quelques exemples de portes un peu plus riches que celles déjà décrites, et cela sans nous laisser entraîner au delà du cadre que nous nous sommes tracé.

Voici (fig. 180) une porte dans le genre Louis XV avec imposte.

Lorsque l'imposte atteint une dimension pouvant permettre le passage d'un homme ou même d'un enfant déjà grand, il est prudent de garnir les jours de barreaux ou de panneaux ornés, à moins que la hauteur rende cette précaution inutile par suite de la difficulté d'accès en résultant.

Cette porte est à deux faces dissemblables. Les forces de bois sont sensiblement les mêmes que celles données aux bois de la porte (fig. 173), sauf la traverse d'imposte qui est prise dans un bois de 0,080 × 0.130 (fig. 181).

Coupe A.B

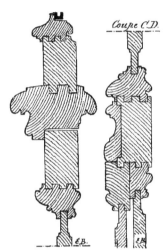

Coupe C.D.

Les panneaux du soubassement sont doubles avec profils différents comme le montre la figure 182).

Enfin nous donnons (fig. 183) la section du battement.

L'ouverture peut se faire en poussant le vantail de gauche ou le vantail de droite, nous avons figuré celui de gauche comme ouvrant le premier, ce qui n'est pas usuel, mais cela ne présente aucune importance ici.

Coupe E.F.

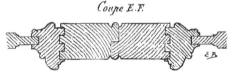

Fig. 181, 182 et 183.

Les portes peuvent avoir diverses formes résultant de la partie supérieure suivant qu'elle est droite, en arc de cercle, en anse de panier, ou en plein cintre, et c'est naturellement sur l'imposte que cette forme a de l'influence.

Notre exemple (fig. 184) est en plein cintre avec imposte vitrée. La traverse d'imposte est à double courbure comme il convient au caractère spécial de la porte.

Le soubassement, en saillie sur le bâti mobile, comporte deux épaisseurs de panneaux et à profils dissemblables sur les deux faces (fig. 185).

Fig. 184. — Porte d'entrée.

Coupe A.B.

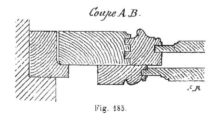

Fig. 185.

PORTES COCHÈRES

Ces portes diffèrent des précédentes surtout par leurs dimensions qui sont beaucoup plus considérables. En effet, les plus petites mesurent toujours au moins 2ᵐ,60 de largeur et 3ᵐ,50 de hauteur. Certainement

Fig. 186. — Porte cochère.

on en rencontre encore de dimensions plus restreintes, mais c'est parce qu'on a été gêné par l'exiguïté de la façade et la hauteur peu considérable de l'étage de rez-de-chaussée.

Dans les maisons, elles sont surtout destinées à permettre l'entrée des voitures légères, tilburys, coupés, etc.

En général, elles comportent un guichet pour l'entrée des piétons lorsqu'on n'a pu, dans le plan, trouver l'emplacement d'une petite porte spéciale à cet objet.

Les bois employés dans la construction de ces portes sont d'assez fort échantillon, car elles doivent être très solides étant très exposées.

Voici un premier modèle dans une ouverture en arc (fig. 186), qui va nous servir à donner une idée des forces des bois. Cette porte n'a pas de dormant et sa ferrure est directement scellée dans la maçonnerie.

Bâti 0,065 ; guichet 0,045 ; panneaux 0,030.

Les deux vantaux de cette porte sont couron-

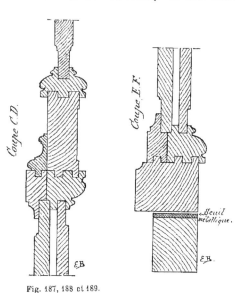

Fig. 187, 188 et 189.

nés, immédiatement sous l'imposte, de petits attiques dont nous montrons le détail (fig. 187). Cette figure donne en même temps la coupe dans la partie haute du guichet.

Dans la partie supérieure le panneau est simple, à deux faces dissemblables, comprenant des plates-bandes avec une petite moulure et des plates-bandes unies.

Les assemblages de cette porte présentent une certaine complication et donnent lieu pour le menuisier à un tracé d'une grande précision.

La figure 188 montre la coupe de la partie supérieure du soubassement avec le profil d'amortissement embrevé sur le cadre du panneau, au-dessous de la poignée de tirage.

Par le bas de ce soubassement, la traverse inférieure du guichet fait saillie sur le bâti de la porte et a forme de plinthe (fig. 189).

Coupe G.H.

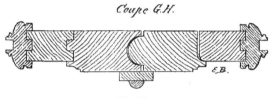

Fig. 190.

Comme nous avons déjà eu l'occasion de le dire, la largeur du guichet est d'environ $0^m,90$ sur $2^m,25$ de hauteur.

Au droit de ce guichet, la traverse inférieure est toujours garnie d'un seuil en métal, cuivre ou fer suivant les cas et le degré de richesse donné à l'ensemble. On fait souvent ce seuil en tôle striée.

Les deux vantaux de la grande porte se joignent à noix et gueule de loup ; le montant arrondi suivant une section demi-circulaire est le battant mouton, l'autre battant, creusé, qui vient recevoir le battant mouton est le battant à gueule de loup (fig. 190).

Cette façon de réunir les deux vantaux présente cet avantage d'assurer une bonne fermeture, de bien maintenir les deux parties de la porte et de les empêcher de se voiler, car elles se maintiennent ainsi l'une par l'autre.

Par contre, elle rend le guichet de passage des piétons absolument indispensable. On comprend quelle sujétion serait en effet la nécessité d'ouvrir les deux vantaux pour le passage des personnes entrant ou sortant de la maison.

Nous avons omis de dire que la hauteur du seuil du guichet ne doit jamais avoir une hauteur supérieure à celle d'une marche ordinaire, soit 0,16 à 0,18 au maximum. Mais cette hauteur est plus que suffisante

pour permettre de donner à la traverse inférieure une solidité convenable, et elle est même rarement atteinte.

Fig. 191. — Porte cochère.

La porte que nous représentons (fig. 191) est de forme rectiligne.
Comme pour la précédente des parties vitrées ménagées dans le haut
permettent l'introduction de la lumière.

Au point de vue de la construction, elle diffère peu de celle donnée
(fig. 186). Elle est cependant plutôt plus simple, comporte comme elle

Coupe A.B.

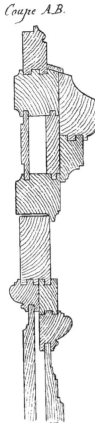

un guichet et est terminée en bas par un sou-bassement également en saillie.

L'attique est composé comme l'indique la figure 192.

Les panneaux sont doubles, tant dans la partie haute que dans la partie basse et avec profils dissemblables aux deux faces.

La figure 193 montre le meneau-battement dont l'emboîture des vantaux présente une dis-position spéciale qui a les mêmes avantages et les mêmes inconvénients que le dispositif à noix et gueule de loup de la porte précédente.

Tout comme la porte (fig. 186), celle-ci n'a pas de dormant et les gonds sont scellés dans la maçonnerie (fig. 194).

Souvent, les portes cochères sont conti-nuées en menuiserie dans la hauteur de l'en-tresol et affectent alors les formes plein cintre, arc surbaissé, anse de panier ou tout simple-ment rectangulaire.

Voici un exemple en plein cintre (fig. 195) traité dans le genre Renaissance.

Cette disposition en plein cintre est assez décorative, mais a le défaut de ne pas éclairer

ε.B.

Fig. 192.

Coupe C.D.

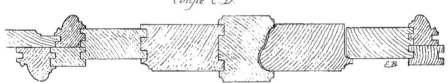

ε.B.

Fig. 193.

Coupe E.F.

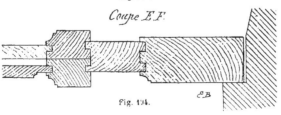

ε.B.

Fig. 194.

Fig. 195 et 196. — Portes cochères avec entresol.

suffisamment la pièce d'entresol au droit de laquelle elle se trouve, et nous pensons qu'on peut lui préférer celle de forme droite (fig. 196) qui permet une surface lumineuse beaucoup plus considérable.

Ces portes, jusqu'au niveau du parquet de l'étage, sont construites en bois de fortes dimensions, comme il convient pour un ouvrage appelé à être très résistant.

Il n'en est pas de même pour la partie fixe établie dans la hauteur de l'entresol qui peut être établie en simple menuiserie, c'est-à-dire d'une façon relativement légère.

Cependant, nous pensons qu'il est utile de penser aux inconvénients du froid et croyons pouvoir conseiller de faire cette partie à double paroi de manière à éviter autant que possible la pénétration du froid à l'intérieur.

PORTES INTÉRIEURES

Les portes, dans l'intérieur des habitations, se font généralement à un ou deux vantaux suivant leur largeur, et parfois à quatre ou six vantaux quand il s'agit de pouvoir, au besoin, réunir deux pièces ensemble. Encore à deux vantaux inégaux quand la baie est trop large pour un vantail seul, et trop étroite pour faire deux vantaux. On divise alors la largeur en trois, deux parties constituent le vantail ouvrant fréquemment, et la troisième partie n'est ouverte que lorsqu'on a besoin d'un passage plus important, c'est-à-dire de toute la largeur de la baie.

On fait aussi des portes à coulisses ou roulantes, cela évite le développement souvent gênant des vantaux. Elles remplacent avantageusement les portes à quatre ou six vantaux dont nous venons de parler à l'occasion de la réunion de deux pièces, salle à manger et salon, par exemple.

Les portes roulantes sont généralement logées dans des cloisons à double paroi, sortes de boîtes très plates où les vantaux viennent se dissimuler.

La largeur minimum des portes est de 0,65 pour celle à un vantail, et de $1^m,30$ pour les portes à deux vantaux.

Généralement, et suivant la destination, la largeur d'une porte à un vantail varie de 0,75 à 0,90, et pour celles à deux vantaux de $1^m,35$ à $1^m,80$.

Comme hauteur de passage, il ne faut pas donner moins de $2^m,20$ pour une porte à un vantail et $2^m,30$ à une porte à deux vantaux.

On a beaucoup cherché une formule donnant un bon rapport entre la largeur et la hauteur d'une porte sans toutefois y parvenir d'une façon satisfaisante.

On a aussi imaginé le procédé graphique suivant : prendre le rapport entre le petit côté et la diagonale d'un rectangle dont les côtés sont dans le rapport de 1 à 2 (fig. 197).

Cela donne certainement une bonne proportion mais malheureusement cette méthode est presque toujours inapplicable.

En effet, on comprend que dans une même pièce où se trouveraient plusieurs portes de diverses largeurs, il serait d'un mauvais effet d'appliquer un procédé qui donnerait des hauteurs différentes à toutes les portes ; dans certains cas aussi, pour une porte très large, par exemple, la hauteur de la pièce ne permettrait peut-être pas de donner à cette porte la hauteur donnée par l'épure graphique.

Si, d'autre part, on voulait appliquer le même procédé à une porte de 0,65 de largeur,

Fig. 197. — Procédé graphique.

on s'apercevrait que la hauteur obtenue serait très insuffisante pour livrer passage, car dans l'espèce, elle serait à peu près de 1ᵐ,45.

Ces réflexions nous amènent à dire que ce moyen ne serait applicable que pour les portes de 1,10 à 1,20 de largeur. Il vaut donc mieux n'employer ce moyen que lorsqu'on n'a affaire qu'à une seule porte et que sa largeur est suffisante pour que la diagonale donne environ 2ᵐ,30 au minimum.

Portes de caves. — Les portes de caves se font généralement en bois dur, chêne ou hêtre, et parfois aussi en sapin, c'est-à-dire en même bois que les cloisons de caves que nous avons vues précédemment.

Elles sont constituées de planches brutes de sciage, jointives ou espacées de 0,01, et de 0,034 d'épaisseur, montées sur deux traverses 0,034 × 0,080 clouées ou serrées à boulons (fig. 198, 199 et 200).

La figure 199 coupe AB indique la position des traverses et des pentures.

La figure 200 coupe CD montre la porte posée en feuillure de manière à ce qu'une fois fermée, il soit impossible de la dégonder.

Pour éviter à ces portes de se déformer, et suivant l'expression admise, de donner du nez, on complète souvent par une écharpe en

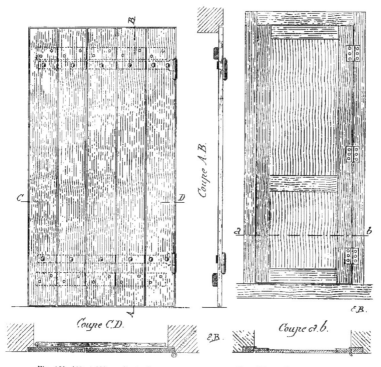

Fig. 198, 199 et 200. — Porte de cave.　　Fig. 201 et 202. — Porte d'armoire.

même bois que les traverses et placée obliquement pour travailler à la compression en cas de déformation de la porte, c'est-à-dire que l'écharpe est appuyée sur la traverse du bas près du gond, et va obliquement soutenir la traverse supérieure à l'extrémité opposée au gond.

Portes d'armoires sous tenture. — Ces portes, comme, d'une manière générale, toutes celles sous tenture, sont destinées à être non apparentes et à être recouvertes par le papier de tenture ou l'étoffe suivant les cas (fig. 201 et 202).

Elles se font en lambris arasé à l'extérieur et à glace en dedans,

et à un ou deux vantaux et sont construites de la manière suivante :
dormant en bois de 0,034 à feuillure ; bâti 0,027 ; panneaux 0,018.

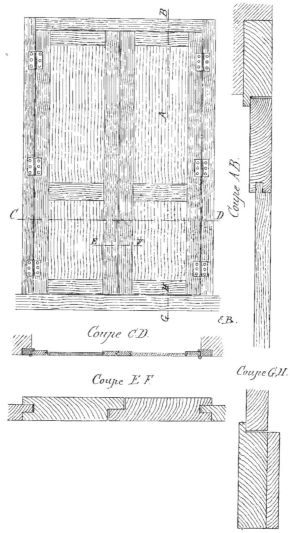

Fig. 203, 204, 205, 206 et 207. — Porte d'armoire à deux vantaux.

Les montants verticaux ont 0.110 de largeur et les traverses 0.120
(fig. 203, 204, 205, 206 et 207).

La figure 205, coupe AB, nous indique le parement arasé et le parement à glace.

La figure 206, coupe EF, montre la feuillure de battement du milieu.

Ces armoires ouvrent ordinairement au-dessus de la plinthe. Pour

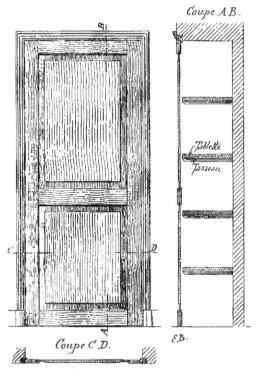

Fig. 208, 209 et 210. — Porte d'armoire.

cela, le dormant forme traverse à feuillure par le bas et est recouvert par la plinthe garnissant le pourtour de la pièce, comme on le voit sur la figure 207, coupe GH.

Portes d'armoires apparentes. — Très simplement traitées, elles se font comme les armoires sous tenture, mais à glace vers l'extérieur ou aux deux faces suivant le bois employé (fig. 208, 209 et 210).

Cette armoire est composée d'un dormant 0,08 × 0,08 à feuillure; d'un bâti ouvrant en 0,034 et de panneaux 0,018 avec plates-bandes à l'extérieur. Un petit chambranle aboutissant sur des socles, calfeutre le joint du dormant.

L'intérieur est garni de tablettes sur tasseaux comme l'indique la figure 209, coupe AB.

On fait aussi des portes d'armoires apparentes à petits cadres dans

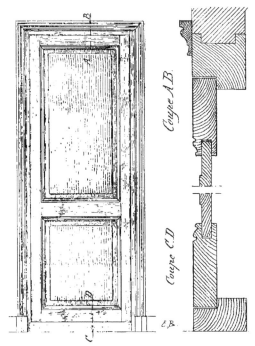

Fig. 211, 212 et 213. — Porte d'armoire apparente.

le genre de celle que nous donnons (fig. 211, 212 et 213), dont une des faces a entièrement l'aspect d'une porte à petits cadres d'intérieur, mais ne comportant souvent que deux panneaux.

Notre exemple figure 211 est à petits cadres vers l'extérieur et à glace du côté intérieur comme on le voit figures 212 et 213, coupes AB et CD.

Portes de service. — On a recherché pour des destinations spéciales un genre de porte qui ne puisse se confondre avec les portes ordinaires des habitations et on est arrivé à faire avec des éléments chanfreinés des portes qui donnent toute satisfaction comme aspect et solidité (fig. 214 et 215).

Ici, les panneaux, toujours disposés à se contrarier ou à se rétrécir quant ils sont de grande largeur, sont divisés en deux par un montant médian, ont moins de surface, et sont par conséquent plus robustes.

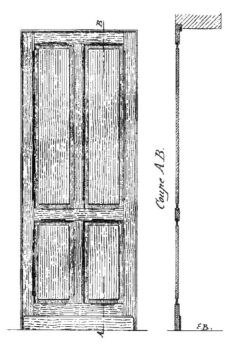

Fig. 214 et 215. — Porte de service.

Avec des plates-bandes et des chanfreins arrêtés, on obtient un aspect très satisfaisant.

Cette porte peut aussi s'employer pour armoire, mais dans ce cas le côté intérieur pourrait être à glace.

Portes à petits cadres. — On est convenu d'appeler à petits cadres les portes dans lesquelles les moulures encadrant les panneaux sont prises et ravalées dans le bâti de la porte, et par conséquent ne font pas de saillie. Par opposition, les grands cadres que nous verrons bientôt, sont plus saillants que le bâti et sont rapportés à rainures et languettes, embrèvement si l'on veut, entre le panneau et le bâti qu'ils réunissent.

Les portes d'appartements ont presque toujours deux parements semblables, c'est-à-dire deux faces apparentes comportant le même tracé et la même décoration plus ou moins simple.

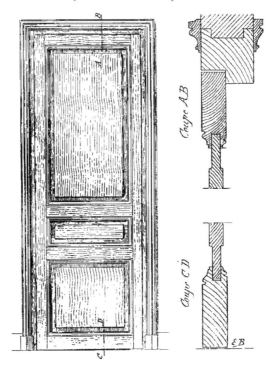

Fig. 216, 217 et 218. — Porte à petit cadre.

Les portes, qu'elles soient à un ou à deux vantaux, sont placées dans une des conditions suivantes :

1° Dans une huisserie de 0,08 × 0,08, comme nous l'avons vu précédemment figures 79 et 80, pour les cloisons en carreaux de plâtre ;

2° Dans une huisserie de 0,08 × 0,15, suivant ce qui est indiqué figure 81 ci-dessus, pour les cloisons de 0,15 d'épaisseur — brique de 0,11 plus les deux enduits ;

3° Dans un bâti dormant, scellé en feuillure dans la maçonnerie, et dont l'échantillon est en rapport avec les dimensions de la porte et son poids, lorsque la baie se trouve dans un mur. Les dimensions ordinaires sont de 0,041 × 0,08 pour les bâtis des petites portes et de 0,07 × 0,07 et plus pour les portes plus grandes.

Dans les murs, le bâti est toujours accompagné d'un contre-bâti placé sur la face opposée au bâti, — voyez figure 86, — et variant comme force de bois de 0,027 à 0,034.

L'épaisseur des bâtis ouvrants est généralement de 0,034 à 0,041 pour les portes d'une hauteur inférieure à 2^m,75, et de 0,041 à 0,054 pour celles de dimensions plus grandes.

L'épaisseur des panneaux varie de 0,018 à 0,034.

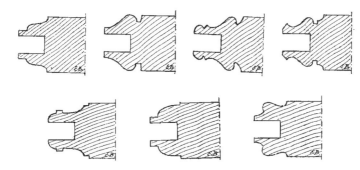

Fig. 219, 220, 221, 222, 223, 224 et 225. — Petits cadres.

Ces portes sont entourées sur trois côtés de chambranles moulurés appropriés aux dimensions de la porte. On en trouvera quelques exemples plus loin, figures 741 à 751.

Les chambranles sont coupés d'onglet, à 45 degrés, juxtaposés de manière à former l'équerre à angle droit, cloués et terminés en bas par des socles de chambranle sans moulures et reposant sur le parquet — voir ces socles plus haut, figures 61 et 62.

Ces chambranles sont posés à une distance de 0,03 à 0,05 du tableau de l'huisserie ou du bâti dormant de manière à calfeutrer le joint résultant du contact du bois avec le plâtre.

Les petits cadres, moulures entourant les panneaux, sont pris dans l'épaisseur même des montants et traverses et forment un encadrement à ces panneaux (fig. 216, 217 et 218).

Ce modèle est à trois panneaux avec plates-bandes. Il est à recommander d'employer pour ces panneaux le grisard qui ne donne pas de résine et est peu sujet à se fendre.

Il est à recommander aussi, quand la question d'économie n'est pas une condition absolue, d'employer pour la confection du bâti le bois de chêne dont les assemblages sont beaucoup plus résistants et empêchent la prompte déformation de la porte.

La figure 217, coupe AB, montre le détail d'une porte dans sa partie supérieure, et la figure 218, coupe CD, donne la partie basse.

Fig. 226. — Plate-bande unie.

La plate-bande est le ravalement que l'on pousse autour des panneaux de lambris et des portes à cadres et qui forme en même temps la languette d'embrèvement.

Les petits cadres, pris à même le bois, sont forcément faits d'une moulure de dimension restreinte. En voici quelques exemples figures 219,

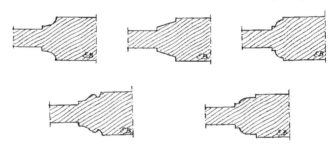

Fig. 227, 228, 229, 230 et 231. — Plates-bandes profilées.

220, 221, 222, 223, 224 et 225, dans lesquels nous avons figuré la rainure destinée à recevoir le panneau.

Les plates-bandes, dont nous venons de parler plus haut, sont prises dans le panneau et concourrent à former la languette. Le plus souvent elles sont simples, comme dans le cas de la figure 226. Mais on peut, malgré l'exiguïté de la place disponible trouver des petites moulures qui augmentent la richesse de l'ensemble.

Nous en donnons quelques exemples, figures 227, 228, 229, 230 et 231.

Pour la distribution des panneaux dans une porte, il faut tenir compte que la serrure doit être à hauteur de la main, et que d'autre part cette serrure se pose toujours au droit d'une traverse. La hauteur ainsi obtenue donnera un point de départ à la division des panneaux.

Portes à grands cadres. — Ces portes ne diffèrent guère des précédentes que par les cadres qui, au lieu d'être pris dans les montants et

Fig. 232. — Porte à grands cadres.

traverses, sont formés d'une pièce moulurée portant rainures et lan-

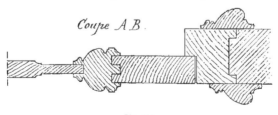

Fig. 233.

guettes et interposée entre le bâti ouvrant et le panneau qu'elle réunit.

Voici le modèle d'une porte de ce genre (fig. 232, 233, 234 et 235).
La figure 233 coupe AB, nous montre la composition de la partie

Coupe C.D.

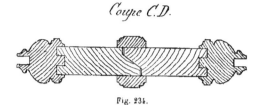

Fig. 234.

supérieure. Nous appelons l'attention sur le profil des chambranles

Coupe E F.

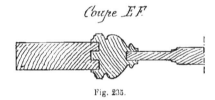

Fig. 235.

qui ne pourrait convenir dans une pièce comportant une cimaise parce

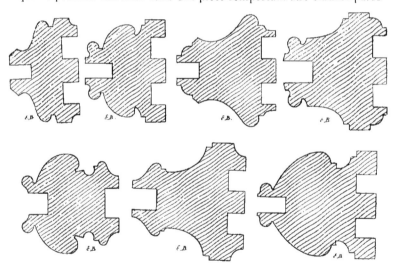

Fig. 236, 237, 238, 239, 240, 241 et 242. — Profils de grands cadres.

que cette dernière ne pourrait s'amortir sur un profil de ce genre, car

elle nécessite toujours un chambranle présentant un côté plat égal au
moins à l'épaisseur de ladite cimaise ;

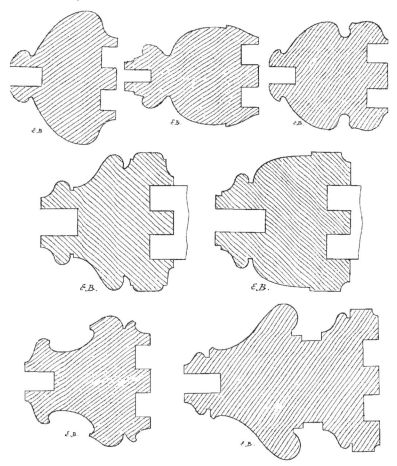

Fig. 243, 244, 245, 246, 247, 248 et 240. — Profils de grands cadres.

La figure 234, coupe EF donne la partie inférieure de la porte :

Enfin, la figure 235, coupe CD, montre clairement les montants,
battements et les profils de grands cadres.

Nous avons dit que les grands cadres, dans les lambris ou les portes,
étaient une pièce interposée qui fait sur le châssis une saillie plus ou
moins considérable suivant son importance.

Les grands cadres se prennent ordinairement dans des bois variant
de 0,044 à 0,100 d'épaisseur. L'autre dimension est déterminée par le
plus ou moins de complication du profil.

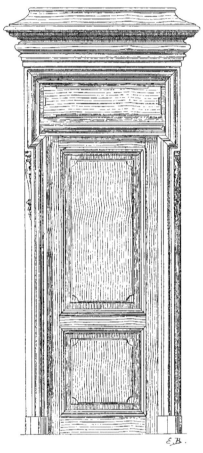

Fig. 250. — Porte avec attique.

Nous ne croyons pouvoir mieux faire que de procéder comme pour
les petits cadres, c'est-à-dire de donner un choix varié de profils différents répondant autant que possible à toutes les convenances particulières (fig. 236, 237, 238, 239, 240, 241, 242, 243, 244, 245, 246, 247,
248 et 249).

On trouvera dans ces profils des exemples de tous les styles et l'art nouveau lui-même n'a pas été oublié.

On fait des portes à grands cadres beaucoup plus décoratives. La porte proprement dite, généralement en beau chêne, ne change pas de forme, il y a seulement une recherche plus grande des profils, les panneaux prennent des formes plus ouvragées ; les chambranles s'ornent de crossettes et enfin une menuiserie d'applique couronnée d'un attique donne à la porte les proportions de hauteur qui conviennent au milieu où elle se trouve placée (fig. 250).

Portes diverses. — Certaines portes, qu'elles soient à petits cadres ou à grands cadres, ne peuvent cependant être classées dans ces dernières, car celles que nous avons examinées ne sont que des modèles couramment employés dans les maisons ordinaires.

On comprend que dans des habitations plus luxueuses on doit se servir des portes, comme de tous les autres éléments de la construction, pour les faire concourir à la décoration générale.

Ce besoin de richesse a amené à une recherche plus grande et à l'emploi de motifs propres à donner à chaque partie de la menuiserie un caractère spécial propre à s'harmoniser avec l'ensemble.

Voici un exemple traité dans le style du xvi⁰ siècle qui représente une porte à un vantail.

Ici, en plus du couronnement, nous remarquons la manière de traiter le chambranle et les panneaux (fig. 251, 252 et 253).

Le couronnement est droit et composé comme le montre la figure 252, coupe AB.

Les panneaux sont garnis par un profil très peu saillant avec découpure très accentuées aux extrémités dont voici l'origine : « Dans la menuiserie antérieure au xv⁰ siècle, il était d'usage souvent, surtout pour les meubles, de revêtir les panneaux de peau d'âne ou de toile collée sur le bois au moyen de colle de fromage ou de peau. Lorsque les boiseries vieillirent, ces revêtements durent quelquefois se décoller en partie des bois déjetés ; delà des plis des bords retournés. Il est à présumer que les menuisiers eurent l'idée de faire de ces accidents un motif d'ornement et un moyen de donner de l'épaisseur aux panneaux, tout en laissant leurs rives et languette très minces. » (Viollet-le-Duc.)

Habilement tracés, ces profils auxquels on a donné le nom de parchemins plissés, donnent, grâce à la différence d'échelle entre le profil de la section et celui des extrémités, l'illusion d'une épaisseur assez considérable et cependant la saillie maximum dépasse rarement un centimètre ou un centimètre et demi.

Les profils de parchemins peuvent être variés à l'infini, mais sont presque toujours relativement simples.

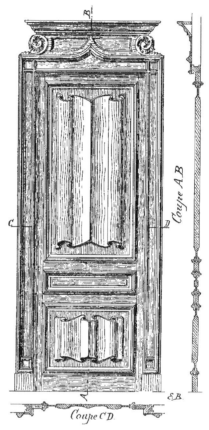

Fig. 251, 252 et 253. — Porte avec couronnement.

La figure 253, coupe CD, montre à petite échelle la section du panneau.

Le chambranle est composé de deux profils différents mais dont celui extérieur répète la moitié du petit de manière à permettre aux extrémités sortant des croisements, de venir se perdre en se raccordant au grand profil.

Dans notre exemple, cette porte est supposée placée dans une cloison. Avec attique sur console est la porte représentée (fig. 254 et 255).

Fig. 254 et 255. — Porte à deux vantaux avec attique.

De construction très simple et d'un aspect sévère, cette porte, en dehors de l'attique, ressemble aux portes à grands cadres que nous avons étudiées précédemment. Cependant on remarquera la dimension considérable du dormant qui donne à l'ensemble une forte saillie sur le nu, saillie qui donne un caractère de force à la porte et qui, en même temps, est très favorable pour venir arrêter les profils, cimaise ou autres, qui viendraient accompagner cette porte latéralement.

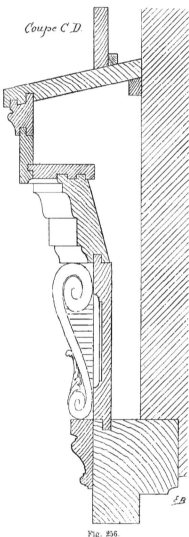

Coupe C D.

Fig. 256.

L'attique proprement dit est construit de la façon indiquée (fig. 256) et est à une échelle suffisante pour que la lecture du dessin rende la description inutile.

Bien que dans cet ouvrage nous nous soyons imposé d'éviter, autant que possible, l'emploi des motifs sculptés, nous ne pouvons cependant éliminer ces motifs d'une manière complète.

Lorsqu'on ne construit pas la menuiserie en bois apparent on emploie souvent le staff pour les ornements hors de la portée de la main, c'est-à-dire placés dans des conditions telles qu'ils peuvent difficilement être détériorés, et en carton-pierre et pleins lorsqu'ils sont susceptibles d'un contact par suite de leur position à portée de la main.

Notre figure 257 est de style Louis XVI, à deux vantaux avec montants-chambranles et panneaux à crossettes. Nous n'y avons introduit que le minimum de sculpture indispensable pour caractériser le style, et toujours placée hors de la portée de la main. Si donc, on construisait cette porte pour être recouverte de peinture, il serait

loisible d'employer pour les éléments sculptés,
le staff et le carton-pierre dont nous venons de
parler.

Fig. 257. — Porte avec couronnement.   Fig. 258. — Coupe du couronnement.

La figure 258 donne les différentes pièces et assemblages qui forment le couronnement.

Portes vitrées. — Dans les habitations, on fait souvent des portes
vitrées dans la partie supérieure, soit pour éclairer une entrée sombre,

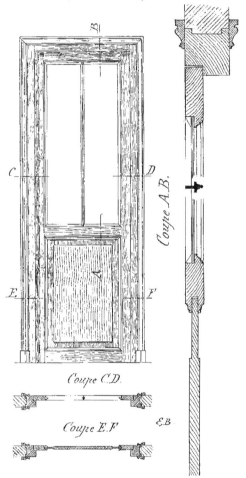

Fig. 259, 260, 261 et 262. — Porte vitrée.

soit pour laisser pénétrer la lumière dans un dégagement ou dans tout
autre endroit.

On fait encore de grandes portes vitrées entre des pièces destinées
à la réception de manière à permettre la vue sans être obligé d'ouvrir.

Dans les maisons ordinaires, ces portes vitrées se placent aux cuisines et aux salles à manger, elles éclairent en même temps l'entrée.

Le modèle (fig. 259, 260, 261 et 262) est de cet ordre. C'est en.

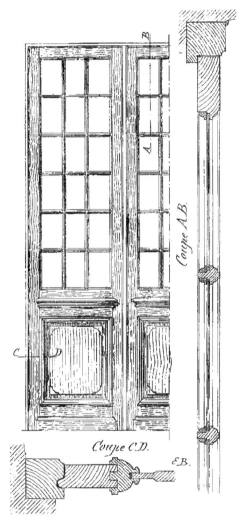

Fig. 263, 264 et 265. — Porte vitrée.

somme une porte à petits cadres à un vantail, dont le panneau supérieur est remplacé par un verre.

Comme un verre d'une seule pièce est fragile, sujet à se briser, on

recoupe souvent par un petit bois. De cette manière, en cas de bris, le
dommage est diminué de moitié.

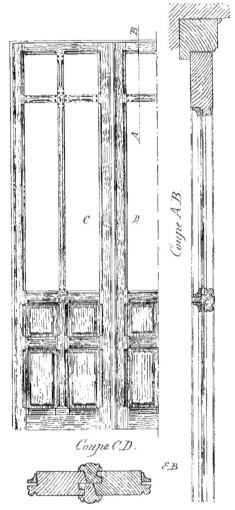

Fig 266, 267 et 268. — Porte vitrée.

Ce petit bois peut être exécuté en bois, mais étant donné sa longueur, qui obligerait à lui donner une forte section peu favorable au
passage de la lumière, on emploie de préférence le petit bois métal-

lique, simple fer ⊥, ou un fer à vitrage mouluré comme nous l'avons figuré figure 260, coupe AB.

La figure 261, coupe CD, est la section prise dans le panneau vitré;

La figure 262, coupe EF, est la coupe horizontale faite dans le panneau du bas.

La porte (fig. 263, 264 et 265) est à deux vantaux, à grands cadres et à petits carreaux. Elle est d'un travail plus recherché que la précédente comme on peut le voir par la décoration des angles des panneaux et le fixage des carreaux par des baguettes moulurées et coupées d'onglet pour former des cadres.

La figure 264, coupe AB, indique la composition de la porte dans la partie vitrée; et la figure 265, coupe CD, montre la coupe horizontale dans le panneau du bas.

Les portes vitrées avec petits bois en menuiserie peuvent donner un aspect très satisfaisant, comme le montre la porte (fig. 266, 267 et 268) qui est également à deux vantaux, mais à panneaux multiples.

Elle tire tout son caractère de la disposition des panneaux et des profils et chanfreins arrêtés qui forment toute son ornementation.

La figure 267, coupe AB, donne la section dans la partie vitrée;

La figure 268, coupe CD, montre la section des battements.

Suivant qu'elle sera plus ou moins grande, cette porte pourra être construite: bâti dormant, 0,054; bâtis ouvrants, 0,034; panneaux, 0,018. Ou bien, bâti dormant 0,070; bâtis ouvrants 0,044; panneaux, 0,025.

Il faut en tout cas choisir des bois suffisamment forts pour pouvoir trouver les profils dedans.

Voici maintenant une porte genre Louis XV pouvant convenir à une baie sur salon, à un vestibule ou tout autre emplacement.

L'imposte est en plein cintre et la traverse d'imposte est à double courbure. Les petits bois verticaux sont droits et les autres à courbures doubles.

Cette porte, figures 269, 270 et 271, est à deux vantaux avec imposte. le soubassement est très bas, comme il convient dans ce cas. Elle est posée dans un bâti dormant scellé en feuillure dans la maçonnerie, et construite de la manière suivante:

Bâti dormant, 0,080 × 0,080; bâti mobile, 0,050; panneaux, 0,025; grands, cadres, 0.070 × 0,090; petits bois, 0,030 × 0,050; traverse d'imposte, 0,110 × 0,160.

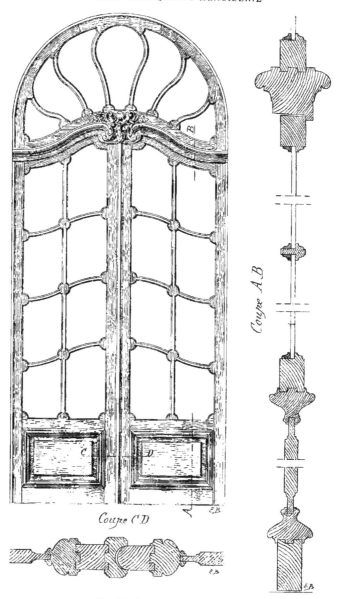

Fig. 269, 270 et 271. — Porte vitrée.

La figure 270, coupe AB, donne la section verticale de la porte :

La figure 271, coupe CD, montre la section des montants-battements et de la noix et gueule de loup.

Dans cette dernière figure nous avons représenté une variante de grand cadre.

Nous devons mentionner encore les portes vitrées à plusieurs vantaux (fig. 272), qui peuvent se faire pleines ou vitrées. Elles sont destinées à réunir au besoin deux pièces contiguës, par exemple par une baie entre un hall et un salon ou entre salon et salle à manger.

Fig. 272. — Portes à quatre vantaux.

La ferrure en est fort difficile, et on empêche avec peine la déformation que les vantaux, portés les uns par les autres, ne manquent pas de produire.

Nous conseillons à nouveau les portes roulantes, quand la largeur de la pièce permet de faire des cloisons creuses pouvant les contenir.

CHASSIS, PETITS ET GRANDS

D'une manière générale en menuiserie, on donne le nom de châssis à tous les cadres, fixes ou ouvrants, entourant un ou plusieurs verres

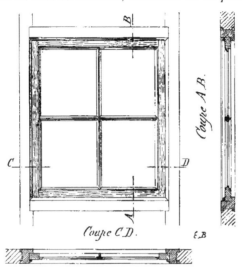

Fig. 273, 274 et 275. — Châssis dans une cloison.

suivant que le châssis ne comporte que le cadre, ou qu'il est divisé par des petits bois.

Il y a les châssis fixes et les châssis ouvrants, nous allons les examiner.

Châssis fixes. — Nous donnerons, comme premier exemple, un châssis établi dans une cloison et destiné à transmettre du jour dans une pièce contiguë, un cabinet par exemple (fig. 273, 274 et 275).

Comme on le voit le châssis est logé dans un cadre 0,08 × 0,08 noyé dans l'épaisseur de la cloison et maintenu en place par une simple baguette quart de rond.

Le châssis proprement dit est en bois de 0,032 avec petits bois 0,032 × 0,020.

Se trouvant placé à l'intérieur, il n'a pas besoin de pièce d'appui ni de jet d'eau. Et, étant fixe, le nettoyage des verres se fait de chaque côté sur chacune des deux pièces contiguës.

Suivant le jour dont on a besoin, on fait ces châssis plus ou moins grands, mais comme ordinairement ils sont placés assez haut pour ne pas permettre la vue, c'est surtout dans le sens de la largeur que leur surface est augmentée.

Châssis de jour de souffrance. — Bien que cela n'intéresse pas directement le menuisier, qui n'intervient ordinairement que pour garnir les

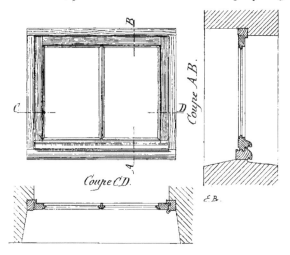

Fig. 276, 277 et 278. — Châssis de jour de souffrance.

baies réservées au préalable dans la maçonnerie, nous rappelons ici que les jours de souffrance doivent être placés à 2^m,60 au-dessus du sol du rez-de-chaussée, et à 1^m,90 au-dessus du parquet des étages ; qu'ils doivent être à verres dormants, grillagés et munis d'une grille en fer dont les barreaux, verticaux et horizontaux, ne doivent laisser que 0^m,10 d'espace libre entre les fers ; qu'enfin la loi ne fixe aucune dimension comme hauteur et largeur du châssis.

Tout cela résulte des articles 675, 676 et 677 du Code civil.

Dans la pratique, la jurisprudence ayant établi que la hauteur au-

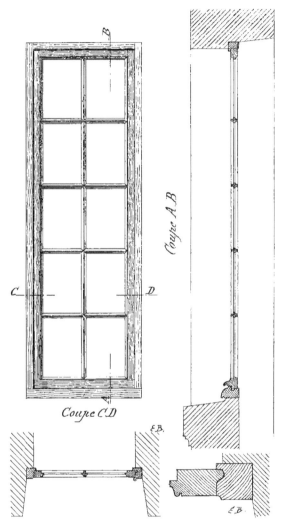

Coupe A.B

Coupe CD

Fig. 279, 280 et 281. — Châssis-fenêtre.   Fig. 282. — Section de dormant.

dessus du sol au parquet, ainsi que le barreaudage métallique, suffisent pour empêcher la prescription, on peut, quand le voisin veut bien le tolérer, faire les jours de souffrance ouvrants et ils sont alors construits comme celui que nous donnons (fig. 276, 277 et 278).

Ce châssis comporte un bâti dormant 0,054 ; châssis 0,034 avec jet d'eau ; pièce d'appui 0,08 × 0,08.

La figure 277, coupe AB, montre la section verticale ;

La figure 278, coupe CD, indique la différence existant entre les deux montants du bâti dormant dont l'un est à gueule de loup et reçoit la noix que porte le montant correspondant du châssis, et l'autre à feuillure recevant le châssis lorsqu'il est fermé.

Châssis fenêtre. — Si la fenêtre est de faible largeur, on la fait à un seul vantail et c'est alors un châssis semblable au précédent, à cette seule différence près que la hauteur en est plus considérable (fig. 279, 280 et 281).

Les bois employés peuvent être, comme force, les mêmes que ceux indiqués pour le châssis de jour de souffrance décrit plus haut.

La figure 280, coupe AB, donne la section verticale ;

La figure 281, coupe CD, montre la coupe horizontale qui est identique à celle (fig. 278) décrite plus haut.

Le montant dormant sur lequel le vantail est ferré de charnières, de fiches ou de paumelles, présente la section que nous donnons (fig. 282), et qui comporte une rainure ou canal, demi-circulaire, dans lequel vient se loger la petite noix ménagée dans le montant mobile du châssis opposé au côté en feuillure.

FENÊTRES OU CROISÉES

La fenêtre proprement dite est l'ouverture faite dans un mur de bâtiment pour laisser pénétrer l'air et le jour à l'intérieur.

On appelait croisée, au moyen âge, les meneaux en forme de croix qui divisaient en quatre l'ouverture d'une fenêtre.

De nos jours, les deux mots fenêtre et croisée sont devenus presque synonymes, et sont indifféremment employés.

Les croisées, nous leur garderons ce nom, sont l'ouvrage de menuiserie destiné à clore les baies sur l'extérieur tout en laissant pénétrer la lumière du jour.

Si la baie est très étroite, on fait la croisée à un seul vantail, c'est-à-dire ouvrant d'une seule pièce. Ce n'est pas alors la croisée proprement dite, mais bien le châssis tel que nous venons de l'étudier précédemment, et auquel on peut se reporter.

Lorsque les baies sont plus larges, c'est-à-dire dépassent $0^m,80$, on fait les croisées à deux vantaux et elles comprennent les éléments suivants : bâti dormant ; montants pivots ; battants meneaux ; jet d'eau et pièces d'appui.

Nous allons examiner quelques formes différentes de ces éléments :

Jets d'eau et pièce d'appui. — La traverse inférieure de la croisée est prise dans un bois d'épaisseur suffisante, $0,08 \times 0,08$ au moins. En voici un premier exemple (fig. 283), on y remarquera le petit canal d'écoulement des eaux de buée qui sont évacuées à l'extérieur par un percement incliné de la pièce, et qui est appelé trou de buée. Ce petit conduit prend les eaux dans le canal et les conduit dehors. La pièce d'appui porte elle-même un larmier pour empêcher que les eaux de buée et de pluie remontent vers l'intérieur.

Le modèle (fig. 284) est du même genre que le précédent, mais la pièce d'appui n'a pas de larmier. C'est la plus grande inclinaison de l'appui de la baie qui empêche les eaux de remonter.

On fait aussi des pièces d'appui avec deux canaux. Le premier est réuni au second par une entaille pratiquée vers

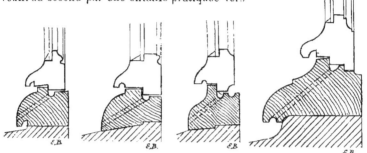

Fig. 283, 284, 285 et 286. — Pièces d'appui

le milieu de la baie. Le second récolte les eaux qui peuvent être produites par la condensation à l'intérieur (fig. 285). De même que dans les autres, un tube de buée évacue les eaux au dehors.

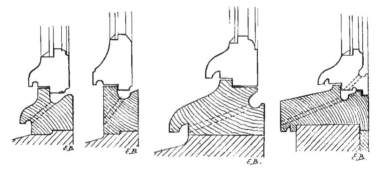

Fig. 287, 288, 289 et 290. — Pièces d'appui.

Voici un autre exemple à trois feuillures et un canal (fig. 286), qui présente une section différente de celle des précédentes pièces.

Les figures 287 et 288 se distinguent encore des autres par leurs sections toutes spéciales. Nous ne saurions affirmer qu'elles sont préférables, mais la dernière a l'avantage de permettre d'employer un bois de plus petit échantillon.

On en fait aussi avec le canal d'écoulement latéral (fig. 289).

On remarquera que dans tous les cas que nous venons d'examiner, tous, sauf celui figure 284, la pièce d'appui fait saillie sur la fenêtre du côté intérieur. Cela a pour but de recueillir les eaux de condensation provenant de la surface de refroidissement des verres pour les conduire dans le canal d'écoulement.

Mais, lorsqu'au moment de la condensation, on ouvre la croisée, l'eau tombe et peut causer des dégâts à l'intérieur de la pièce.

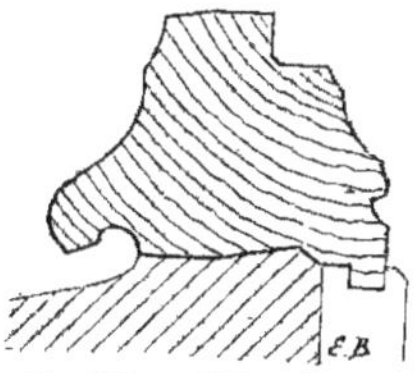

Pour obvier autant que faire se peut à cet inconvénient, on a imaginé un profil dans lequel le canal est sur la traverse basse de la fenêtre avec petit canal ou trou de buée conduisant les eaux dans celui de la pièce d'appui (fig. 290).

Fig. 291. — Pièce d'appui.

Donc si l'on ouvre la fenêtre, les eaux continuent à être récoltées par le petit canal poussé sur la traverse et la chute d'eau par le tube est beaucoup moins considérable que dans les cas ordinaires.

La figure 291 représente une pièce d'appui gothique.

Petits bois. — Les petits bois sont les montants et traverses secondaires qui reçoivent les verres dans les châssis de croisées.

Ils sont pris dans un bois de même épaisseur que le châssis, portent deux feuillures et sont ravalés de moulures sur une face. Ils se font en

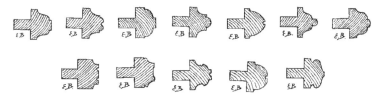

Fig. 292, 293, 294, 295, 296, 297, 298, 299, 300, 301, 302 et 303. — Profils de petits bois.

sapin ou en chêne suivant les cas. Dans une croisée, ils sont toujours en chêne.

Ce détail de menuiserie ne comporte aucune description. Nous nous contentons donc de donner, à titre d'exemple, un certain nombre de sections à profils variés (fig. 292, 293, 294, 295, 296, 297, 298, 299, 300, 301, 302 et 303).

Une des dimensions est, nous l'avons dit, déterminée par celle du bois employé pour le châssis de croisée. Transversalement on peut faire ce qu'on veut, le minimum étant seulement fixé par la nécessité de trouver la place des deux feuillures à verre.

Croisées. — Les croisées peuvent être de formes quelconques suivant celles des baies qu'elles sont appelées à clore. Nous ne nous occupe-

Fig. 304, 305 et 306. — Croisée.

rons ici que des croisées rectangulaires, les détails étant les mêmes quels que soient les cas. Nous donnerons seulement, plus loin, quelques schémas donnant diverses formes.

La croisée rectangulaire (fig. 304, 305 et 306) est construite en bois de chêne, de 0,054 pour le bâti dormant ; 0,034 pour les châssis ouvrants ; 0,075 × 0,075 pour la traverse portant jet d'eau, et 0,08 × 0,08 pour la pièce d'appui.

Elle est recoupée par deux petits bois dans la hauteur.

La traverse supérieure du dormant ne comporte, comme d'ordinaire, qu'une simple feuillure, voir figure 305, coupe AB. Les montants du bâti dormant sur lesquels les deux vantaux sont ferrés de charnières, de fiches ou de paumelles, présentent un profil à noix, que nous indiquons figure 306, coupe CD, et qui consiste en une rainure à section à demi circulaire, dans laquelle vient se loger une languette arrondie que porte le montant mobile dit battant de noix. La traverse basse du dormant est appelée pièce d'appui. Nous avons donné plus haut des exemples de pièces d'appui, disons seulement que son profil est en forme de jet d'eau avec mouchette pour empêcher l'eau d'entrer entre le bois et la maçonnerie.

Elle est munie d'une feuillure au fond de laquelle est creusée une petite rigole peu profonde près des montants, et se creusant davantage au fur et à mesure qu'elle se rapproche du milieu, où elle amène les eaux produites par la condensation, eaux qui sont alors conduites à l'extérieur par un petit canal garni ordinairement d'un tube de plomb, et qui prend le nom de tube de buée.

Le vantail est généralement composé, pour le battant noix et la traverse haute, de bois de 0,034 × 0,070 avec feuillures à verres du côté extérieur et petits profils vers l'intérieur.

La traverse du bas du vantail est prise dans un bois de 0,075×0,075 et dépasse au dehors pour former le jet d'eau avec mouchette ou larmier, et présente dessous une contrefeuillure qui vient battre dans la ou les feuillures de la pièce d'appui, suivant les profils adoptés (voir fig. 283 à 291).

Pour éviter les verres de dimensions trop grandes, on divise la surface du jour par des petits bois 0,034 × 0,027 portant feuillures à verres et profils semblables à ceux des battants (voir fig. 292 à 303).

Les croisées, comprenant deux vantaux, ont naturellement leur joint au milieu, et ce dernier se fait par la jonction des deux battants-meneaux présentant la section que nous avons indiquée sur la figure 306, coupe CD, de la fenêtre (fig. 304).

Cette section, dite à noix et gueule de loup, nous montre qu'un des battants demande pour sa confection un bois plus fort que celui nécessaire à l'autre.

A propos des montants-meneaux, nous devons dire que le profil de section à noix et gueule de loup n'est pas seul employé et que d'autres profils ont été et sont même encore employés.

En voici la raison : Le profil à noix et gueule de loup donne une très bonne fermeture et rend bien solidaires les deux vantaux de la croisée. Mais il a l'inconvénient grave d'obliger, lorsqu'on veut opérer

Fig. 307, 308, 309 et 310. — Battants meneaux.

l'ouverture, de développer ensemble les deux vantaux, quitte à en refermer un si l'introduction de l'air semble excessive.

Le seul moyen qu'on a trouvé pour éviter cet inconvénient consiste à procéder pour les fenêtres comme on l'a fait pour les portes, c'est-à-dire d'employer le profil à feuillures, qui, traité d'une manière plus ou moins ingénieuse, n'empêche pas l'introduction de l'air aussi bien que celui à noix et gueule de loup parce qu'il est moins propre à assurer le contact et à corriger le gauchissement des vantaux.

En effet, avec la feuillure, si les vantaux ne collent pas parfaitement

Fig. 311 et 312. — Croisées.   Fig. 313. — Croisée en arc.

l'un contre l'autre, ce qui est fréquent avec un matériau aussi capricieux que le bois, il se produit des jours qui laissent pénétrer l'air froid et rendent même parfois une pièce inhabitable.

Quoi qu'il en soit nous allons voir quelques profils de feuillures appliquées parfois aux croisées, et qui permettent de prendre les deux battants-meneaux dans les bois de dimension semblable.

A feuillure simple (fig. 307) ; ou à feuillure multiple (fig. 308) ; à feuillure en sifflet (fig. 309) ; enfin la feuillure à recouvrement en doucine (fig. 310).

Comme on le voit dans ces exemples, les battements sont pris dans les pièces montantes du châssis lui-même.

Parfois, les feuillures et battements sont constitués par des pièces rapportées dans le genre de ce qui est indiqué sur notre figure précédente, numéro 268, coupe CD.

Les croisées se font parfois avec un seul petit bois horizontal placé à hauteur d'appui (fig. 311), ou avec ce même petit bois posé pour donner une forme carrée au verre du haut.

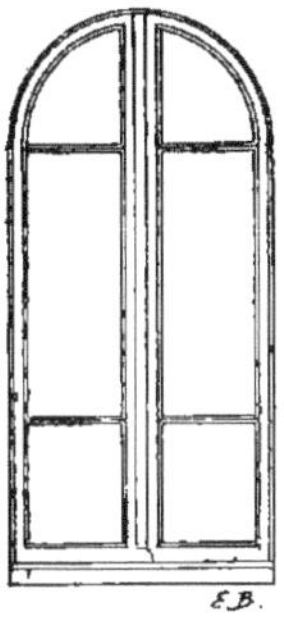

Parfois aussi, les vantaux sont garnis de glaces entières, et dans ce cas, il n'y a pas de petits bois (fig. 312).

Les croisées peuvent aussi affecter la forme en arc surbaissé (fig. 313), ou encore celle en anse de panier.

La forme plein cintre, ou demi-circulaire, se fait aussi, mais elle est plutôt défavorable en ce sens que dans le cas de volets en tableau, ceux-ci ne peuvent être faits que jusqu'à la hauteur de la naissance de l'arc (fig. 314).

Fig. 314. — Croisée en plein cintre.

Le même inconvénient existe pour la fenêtre à arc surbaissé, mais il est cependant moindre.

Croisées à quatre vantaux. — Il ne faudrait pas songer à faire une fenêtre dont les vantaux se replieraient les uns sur les autres, ceci est admissible pour une porte intérieure, comme nous l'avons montré (fig. 272), mais on comprend qu'une croisée établie dans ces conditions fonctionnerait fort mal, et ne remplirait certainement pas le but qu'on se propose d'obtenir, une fermeture aussi parfaite que possible.

Les croisées à quatre vantaux (fig. 315 et 316) ne sont en réalité que la réunion, dans une même baie, d'une croisée comme notre exemple (fig. 304) et de deux châssis semblables à celui que nous avons représenté (fig. 279).

Cette fenêtre comprend deux meneaux qui la sépare en trois parties comme le montre la figure 316, coupe AE.

Le bâti dormant peut être le même que celui déjà étudié dans la croisée (fig. 306). Mais dans celui-ci nous avons indiqué une forme de noix qui se fait quelquefois (fig. 317).

Les meneaux ont, droite et gauche, la section en feuillure d'un côté et à petite gueule de loup de l'autre parce qu'il sert de feuillure

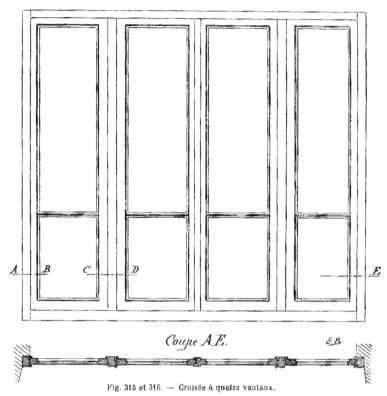

Coupe A.E.

Fig. 315 et 316. — Croisée à quatre vantaux.

au montant d'un châssis, et de l'autre il reçoit la ferrure du montant de noix de la croisée (fig. 318).

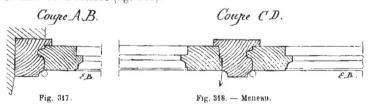

Coupe A.B.

Coupe C.D.

Fig. 317.

Fig. 318. — Meneau.

Porte-croisée. — On appelle ainsi un ouvrage en menuiserie composé en bas d'une partie pleine à petits ou à grandes cadres, et au-dessus, d'une partie vitrée. Cet ouvrage sert à clore une baie donnant de plain-pied, ou avec une marche, accès sur une terrasse ou un balcon.

La construction, pour la partie supérieure, est la même que pour

Coupe C D.   Coupe E F

Fig. 319, 320 et 321. — Porte-croisée.

les croisées. La partie inférieure ou soubassement est faite comme les portes que nous avons examinées précédemment (fig. 319, 320 et 321).

La figure 320, coupe AB, nous montre la section verticale de la porte ;

La figure 321, coupes CD et EF, représente les sections horizontales dans la partie vitrée et dans la partie pleine.

On doit, pour ces portes-croisées, se préoccuper beaucoup de mettre obstacle à l'introduction des eaux de pluie. On a pour cela le moyen très ancien de terminer la porte, en bas, par un jet d'eau avec larmier comme l'indique la figure 320, coupe AB.

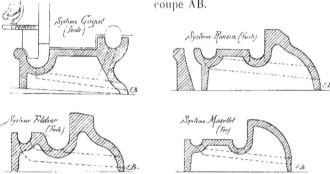

Fig. 322, 323, 324 et 325. — Seuils métalliques.

Mais, si l'on ne craint pas de faire un léger obstacle au passage par une saillie si faible soit-elle, on peut employer les seuils en fonte ou en fer, dont nous donnons (fig. 322, 323, 324 et 325) quelques profils à titre d'exemple.

Nous ferons, de plus, remarquer qu'on pourrait, du côté intérieur, diminuer la saillie du seuil en le faisant, de ce côté, régner avec le parquet ou le carrelage. Bien entendu du côté extérieur le seuil en maçonnerie serait assez bas pour loger le seuil métallique.

On emploie aussi ces seuils pour les croisées, mais alors ils sont plus hauts et prennent le nom de pièces d'appui.

Fenêtres à coulisses. — On les appelle aussi fenêtres à guillotine, et il est bien vrai que par leur fonctionnement elles rappellent un peu l'élégant instrument qui sert à couper les têtes des coupables.

Peu employé en France, ce système est couramment utilisé en Angleterre. Il a des qualités et des inconvénients.

Parmi les qualités, on peut noter : 1° l'avantage de ne pas se développer à l'intérieur, comme les vantaux de nos fenêtres ; 2° de permettre

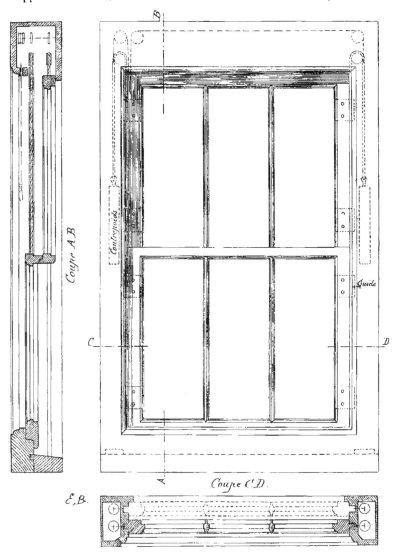

Fig. 326, 327 et 328. — Fenêtre à coulisses.

l'introduction de l'air seulement en haut ou seulement en bas à volonté.

Il y a peut-être encore d'autres qualités que l'on pourrait citer, mais nous avouons qu'elles nous échappent au moment où nous écrivons.

Les inconvénients maintenant : 1° on ne peut jamais ouvrir une surface supérieure à la moitié de la fenêtre ; 2° lorsque l'accès est rendu difficile par la hauteur où une fenêtre de ce genre est placée, le nettoyage des verres, du côté extérieur, n'est pas du tout commode ; 3° d'un mécanisme relativement compliqué, le fonctionnement n'est pas toujours parfait, et la moindre déformation amène des frottements ou des coincements ; 4° de toujours présenter, qu'elle soit ouverte ou fermée, une ou deux barres de bois en travers de la baie ; 5° le prix de revient, étant donné le travail de précision, est supérieur à celui de notre croisée ; 6° enfin, nous le disons simplement pour mémoire, la rupture d'un câble par usure ou accident, justifie par l'effet produit le nom de guillotine dont nous avons coutume de la nommer.

On peut ouvrir le haut ou le bas à volonté mais jamais les deux ensemble, sauf le cas où, à mi-course, ils se trouvent placés l'un sur l'autre (fig. 326, 327 et 328).

Lorsque la fenêtre est fermée, c'est le châssis du haut qui se trouve vers l'extérieur de manière à empêcher l'entrée de l'eau, comme nous le montrons (fig. 327) coupe AB.

Les deux châssis formant la fermeture sont équilibrés par des contrepoids de même pesanteur, et les frottements suffisent pour empêcher la montée et la descente des châssis et à les maintenir en place dans une position quelconque.

Les châssis peuvent être mis en mouvement par un tirage, ou simplement par une poignée.

La figure 328 montre la section horizontale de l'ensemble.

Doubles croisées. — Dans les contrées où la température hivernale est particulièrement froide, on emploie, pour clore les baies, le procédé des doubles croisées, c'est-à-dire qu'on place dans le même tableau deux croisées au lieu d'une. On les place à une distance suffisante pour conserver entre elles un matelas d'air immobile et peu propre à une transmission immédiate.

La croisée placée vers l'extérieur peut être semblable à celles que nous avons déjà décrites, et de dimensions, en largeur, appropriées à l'espace entre tableau.

La croisée intérieure, garantie de la pluie par la première, n'a pas besoin de jet d'eau. Elle est naturellement d'une largeur plus grande que celle extérieure, puisqu'ouverte, elle doit permettre à celle-ci de

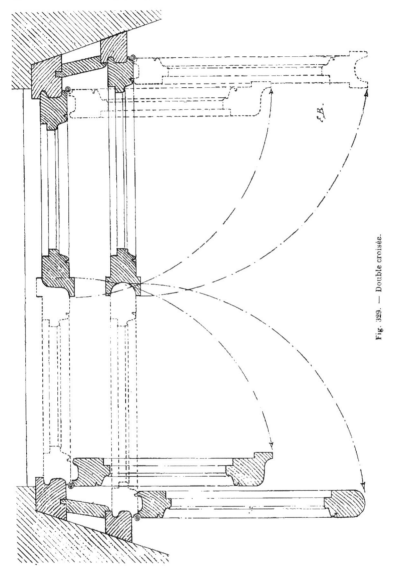

Fig. 329. — Double croisée.

se développer à l'intérieur, les quatre vantaux sont alors deux à deux
développés l'un sur l'autre (fig. 329).

Suivant l'angle de développement qu'on veut obtenir en plus de l'ouverture en équerre, on augmente la différence de largeur des deux croisées, intérieure et extérieure.

Châssis à soufflet. — Ce genre de châssis est généralement placé à une certaine hauteur et manœuvré par une corde ou septain (fig. 330, 331 et 332).

Il peut être fermé en haut comme l'indique la figure 331, ou en bas, comme le montre la coupe figure 332.

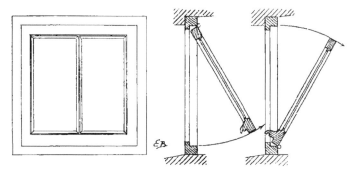

Fig. 330, 331 et 332. — Châssis à soufflet.

Dans les deux il vient battre en feuillure, et est muni d'un jet d'eau.

Ferré en bas, il garantit bien contre l'entrée de la pluie.

Ferré en haut, il est identique comme menuiserie, mais, ouvert, la pluie a plus de chance de pénétrer à l'intérieur.

Châssis à pivots. — Dans ce genre de châssis, le dormant doit présenter une feuillure intérieure au-dessus du pivot, et une feuillure extérieure au-dessous du même pivot.

Ce châssis, figures 333 et 334, a tous les avantages du châssis ferré par en bas, figure 332 ci-dessus. Il est mieux équilibré et occasionne moins de bris de verres.

Sa manœuvre se fait comme dans les cas précédents, mais on est obligé de placer l'axe de rotation un peu au-dessus du milieu de la hauteur, et même de placer un poids à la partie inférieure pour que la fermeture s'opère.

On peut aussi ferrer ces châssis sur deux pivots placés verticalement, d'aplomb, et dans le milieu du dormant du châssis. Développé d'équerre,

ce genre permet une ouverture complète si l'on fait abstraction de l'espèce de menœau formé alors par le châssis, ouvrant, lui-même.

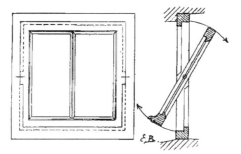

Fig. 333 et 334. — Châssis à pivots.

Pour avoir une bonne manœuvre il faut avoir deux tirages : un qui
sert à l'ouverture, et un autre qui permet une bonne fermeture.

Le profil du-dessous du jet d'eau et celui de la pièce d'appui sont
alors contrariés, parce que la moitié du châssis développe à l'extérieur,
et l'autre moitié vers l'intérieur.

VOLETS OU CONTREVENTS. PERSIENNES

Volets intérieurs. — Les volets intérieurs ont été beaucoup plus employés jadis qu'ils ne le sont à présent. Ils ont le seul avantage de pouvoir être fermés sans nécessiter l'ouverture de la croisée. Par contre ils ne protègent pas les vitres du côté extérieur qui est cependant le plus exposé.

Ils ont pour objet de clore plus parfaitement les baies de croisées et d'empêcher l'entrée de la lumière dans les appartements, et se font toujours à plusieurs vantaux, parce qu'obligé qu'on est de les loger dans l'ébrasement on ne trouverait pas la place nécessaire à moins d'avoir des murs d'épaisseur extraordinaire, ce qui ne se rencontre que rarement (fig. 335).

Notre élévation, figure 335, représente les volets fermés ;

La figure 336 montre la section verticale ;

La figure 337 donne la coupe horizontale. Nous y avons indiqué deux vantaux fermés et deux ouverts et repliés dans le caisson.

L'allège est souvent garnie d'une menuiserie comme nous le montrons, en amorce, figure 336.

Ils peuvent être à petits cadres aux deux parements, ce qui est préférable au point de vue décoratif.

Pour permettre de les replier dans le caisson sur l'ébrasement, on est amené à faire les vantaux de dimensions différentes, les plus larges placés près du montant du bâti dormant de la croisée, sur lequel bâti les volets sont ferrés, et les autres diminuant de largeur au fur et à mesure qu'on se rapproche du milieu. C'est ce que montre la coupe CD figure 337.

On peut les construire en bois de 0,034 avec panneaux de 0,18 à 0,022 suivant que l'on fait des plates-bandes à un seul parement ou bien aux deux.

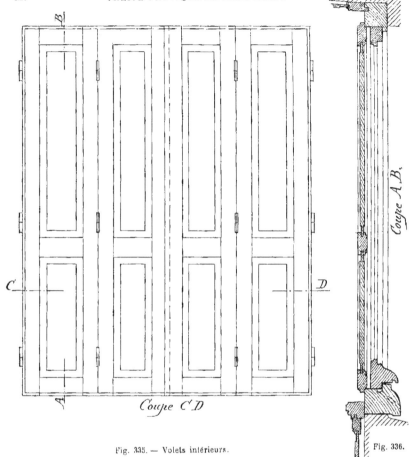

Fig. 335. — Volets intérieurs.

Fig. 336.

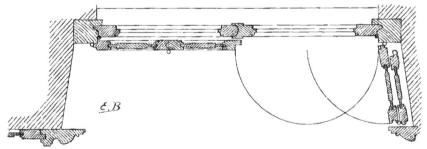

Fig. 337. — Coupe C D.

Généralement, l'ébrasement est garni d'une boiserie qui forme un petit caisson dans lequel le paquet de lames que forment les volets repliés vient se dissimuler.

Volets extérieurs. — Les croisées, dont la plus grande partie de la surface est constituée par des vitres, ne sont certainement pas une clôture suffisante, surtout aux étages inférieurs. On a de tous temps pris des précautions pour garantir ces parties vulnérables de nos habitations, et pour cela on a employé le volet, se mouvant comme les vantaux d'une porte ou bien ouvrant à soufflet ou encore en abattant.

On fait les volets, lorsqu'ils se rabattent à l'extérieur sur le mur, en un seul panneau de menuiserie.

Dans les constructions très simples et économiques, les volets peuvent être composés de planches assemblées à rainures et languettes, avec ou sans languettes sur joints, et consolidées par des traverses, figures 338 et 339.

Ces volets peuvent être rendus plus indéformables en ajoutant entre les deux traverses une écharpe en diagonale et de même force que les traverses. Sur chaque vantail, l'écharpe est alors appuyée sur la traverse, près du gond, et va obliquement soutenir la traverse supérieure à l'extrémité opposée au gond.

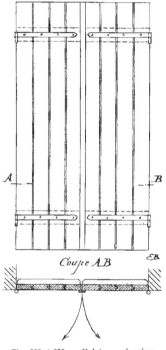

Fig. 338 et 339. — Volets en planches.

Suivant les dimensions de la baie, on peut employer des frises de 0,025 ou de 0,032.

La figure 339, coupe AB, donne la section horizontale.

On fait encore des volets peu coûteux, développant comme les précédents sur le mur, construits en planches assemblées aussi à rainures et languettes, mais emboîtés haut et bas par des traverses également à rainures.

Mais on comprend qu'ici l'assemblage à languette et rainure ne donnerait pas une solidité suffisante, aussi, haut et bas et à chaque vantail, fait-on les planches de rives assemblées à ténon et mortaise et chevillées (fig. 340 et 341).

La figure 341, coupe AB, montre la section en plan.

Un mode de construction plus solide consiste à faire les volets avec

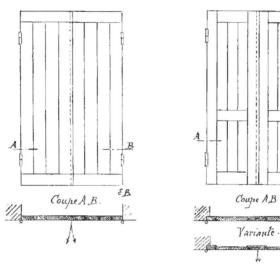

Fig. 340 et 341. — Volets.   Fig. 342, 343 et 344. — Volets.

montants et traverses assemblés avec panneaux montés à rainure et languette (fig. 342, 343 et 344).

On peut les construire arasés aux deux faces, c'est-à-dire avec les panneaux de même épaisseur que le bâti, figure 343, coupe AB, ou encore arasés d'un côté et à glace de l'autre comme le montre la variante figure 344.

Lorsqu'un règlement de voirie prohibe l'emploi des volets développant au dehors, comme cela existe à Paris et dans d'autres villes, on procède par volets brisés qui viennent se loger en paquet contre le tableau.

Ces volets qui ressemblent comme disposition aux volets intérieurs que nous avons vus (fig. 337), peuvent être posés soit directement contre la croisée, soit contre le parement extérieur de la façade.

Dans le premier cas (fig. 345), on rapporte sur le dormant de la

croisée une pièce de bois de 0,032 d'épaisseur, appelée tapée, et sur
laquelle on vient ferrer le volet. La largeur de la tapée varie naturellement suivant l'épaisseur des bois employés à la confection des
volets et aussi au nombre de vantaux ou lames qui peuvent être d'autant plus nombreux que la baie est plus grande.

Dans le deuxième cas, une logette est ménagée dans la maçonnerie

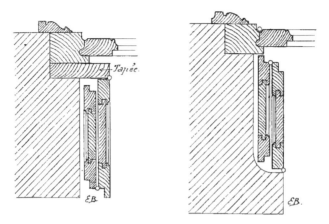

Fig. 345 et 346. — Volets brisés.

(fig. 346), et c'est dans cette logette que vient se dissimuler le paquet de
lames.

Les ferrures pivots sont alors scellés dans la maçonnerie.

Nous devons dire que, maintenant, on fait plus généralement les
volets brisés en fer. Ce mode de construction permettant de donner
une épaisseur considérablement moindre au volet, a l'avantage appré-
ciable de former un paquet de lames beaucoup moins volumineux, et
par conséquent de moins gêner l'introduction du jour dans les pièces.

Persiennes. — Une persienne est un contrevent ou volet extérieur
dont la disposition permet, dans une certaine mesure, l'introduction
de l'air et de la lumière dans l'intérieur d'une pièce.

Les persiennes sont généralement composées de deux vantaux
développant en dehors et pivotant sur des gonds scellés dans la maçonnerie de la baie et venant s'emboîter, lors de leur fermeture, dans une
feuillure ménagée au pourtour extérieur de cette baie, ou contre des
butoirs métalliques lorsqu'il n'y a pas de feuillure.

Chaque vantail mobile est un châssis entre les montants duquel sont assemblées des lames ou feuilles de bois de faible épaisseur, — environ 0,011, — distantes les unes des autres de l'épaisseur du bois du châssis et posées obliquement en abat-jour, sous un angle de 45° (fig. 347, 348 et 349).

Les montants et traverses des châssis sont assemblés à tenons et mortaises et leur largeur, suivant les dimensions de la baie à clore, varie de 0,080 à 0,110. Pour l'épais-

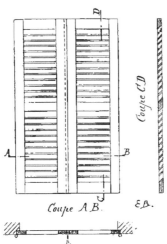

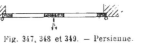

Fig. 347, 348 et 349. — Persienne.

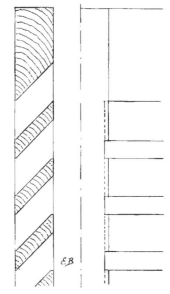

Fig. 350 et 351. — Lames de persiennes.

seur, elle est ordinairement de 0,034, réduite à 0,032 par le corroyage.

La figure 348, coupe CD, montre la section verticale ;

La figure 349, coupe AB, indique la section horizontale ;

Nous examinerons maintenant les lames de ces persiennes.

Ces lames, qui remplissent le vide des châssis, sont prises dans des bois donnant, après corroyage, de 0^m,009 à 0^m,011 d'épaisseur (fig. 350 et 351).

La section de ces lames affecte la forme d'un parallélogramme dont les petits côtés sont inclinés à 45° comme l'indique la coupe (fig. 350).

Ces lames sont placées à une distance telle qu'une ligne horizontale en contact avec l'arête supérieure d'une lame doit être également en contact avec l'arête inférieure de l'autre.

L'assemblage des lames sur les montants de châssis se fait ordinairement par de simples entailles obliques dans lesquelles les dites lames sont glissées et on les fixe par une cheville enfoncée horizontalement ou par une pointe mise de chaque côté.

Ce mode d'assemblage est commode en ce sens qu'il permet de remplacer facilement les lames brisées ou détériorées.

Un autre genre d'assemblage consiste à faire l'entaille comme ci-dessus et à ménager en plus dans la lame un goujon qui vient la fixer.

Ou encore, sans entaille, chaque lame portant un tenon qui vient se loger dans une mortaise préparée dans le montant et faite suivant l'obliquité voulue.

Comme on le voit sur la figure 350 les traverses sont taillées obliquement parallèlement aux lames. La traverse médiane est à deux biseaux.

Les persiennes de petite hauteur, au-dessous de 1ᵐ,50, n'ont que deux traverses, celle du haut et celle du bas. Lorsque la hauteur est plus considérable, on ajoute une traverse intermédiaire.

Les montants du milieu sont seuls munis de feuillures.

Volets-persiennes. — Les persiennes n'offrant pas suffisamment de garantie contre l'effraction, on emploie assez fréquemment au rez-de-chaussée des volets, pleins par le bas et garnis à la partie supérieure d'un certain nombre de lames destinées à laisser pénétrer un peu de lumière et même un peu d'air au besoin (fig. 352 et 353).

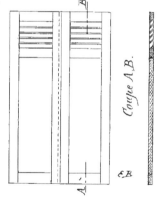

Fig. 352 et 353. — Volets-persiennes.

Comme on le voit, ce n'est qu'une combinaison des volets et des persiennes qui présente les avantages des deux.

Leur construction est identique à celle des objets que nous venons d'étudier.

La figure 353, coupe AB, montre la section verticale.

Les panneaux, que nous avons figurés arasés, peuvent aussi être faits à glace.

Persiennes brisées. — Comme les volets que nous avons décrits précédemment, et dont nous avons donné des coupes figures 345 et 346,

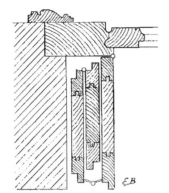

Fig. 354. — Persiennes brisées.

les persiennes brisées se ferrent sur
tapées, ou même directement sur le
dormant de la croisée (fig. 354).

Nous croyons le système comportant la tapée plus pratique.

Les persiennes brisées peuvent
aussi être posées comme les volets
donnés figure 346.

Nous avons dit plus haut que
l'usage était à présent de faire les
volets brisés en fer. Il en est de
même pour les persiennes qui, vu le
faible emplacement qu'elles néces-
tent, sont devenues d'une application presque générale.

Portes-persiennes. — Bien que les persiennes soient rarement
employées pour clore une baie au droit d'une porte, cette dernière étant
accessible par destination, et réclamant par cela même un obstacle protecteur sérieux, il arrive parfois qu'on en fait usage. C'est alors, comme
pour les volets-persiennes, une combinaison de la porte avec la persienne, c'est-à-dire que le panneau, plein ou
vitré, est remplacé par des lames.

Quelquefois encore, et c'est ce qu'il y a de
plus rationnel, on se contente de mettre quelques lames dans la partie supérieure de la
porte, tout comme nous l'avons indiqué pour
les volets-persiennes (fig. 352 et 353).

La garniture entière par des lames n'est
pas à recommander, c'est toujours une mau-
vaise clôture, car rien n'est facile comme de
démonter ou simplement de faire sauter ces
minces lamelles de bois dont sont constituées les persiennes.

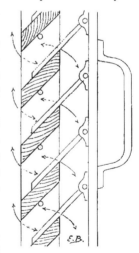

Fig. 355. — Lames mobiles.

Persiennes à lames mobiles. — Pour permettre l'introduction du jour sans être obligé
d'ouvrir les persiennes, on a imaginé de
rendre les lames mobiles, c'est-à-dire de leur permettre de s'incliner
sous un angle quelconque.

Cette mobilité a non seulement pour avantage de permettre l'introduction de la lumière, mais rend encore possible la vue horizontale et même en hauteur, toujours sans nécessiter l'ouverture des vantaux.

La figure 355 montre schématiquement le moyen employé. En dirigeant la poignée vers le sol on fait prendre aux lames la position horizontale et en appuyant davantage on change entièrement leur sens d'obliquité.

TÊTES DE POTEAUX. CULOTS OU PENDENTIFS

Têtes de poteaux. — Nous aimons dans nos habitations donner à tous les détails une forme agréable et à mettre une note d'art partout où elle peut trouver prétexte à se produire.

Or, il est certain qu'un poteau orné simplement d'une coupe droite, est plutôt d'un aspect désagréable, et c'est pourquoi on cherche à faire un peu mieux.

Nous allons examiner un certain nombre d'exemples, et sans avoir

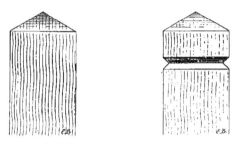

Fig. 356 et 357. — Pointes de diamant.

la prétention de donner des modèles pouvant être exécutés suivant nos dessins, nous espérons, au moins, donner des éléments qui feront surgir des idées meilleures et des formes plus parfaites.

Procédant du simple au composé, nous verrons tout d'abord l'about de poteau, ou toute autre pièce de même forme, taillé en pointe de diamant (fig. 356).

C'est une forme pyramidale obtenue simplement par quatre traits de scie obliques par rapport aux quatre faces de la pièce.

La pyramide ainsi obtenue peut être plus ou moins aiguë suivant l'angle adopté pour la coupe.

On obtient une forme déjà un peu plus recherchée, en faisant, en plus de la pointe de diamant ou pyramide du cas précédent, un petit profil triangulaire, dit grain d'orge, sur les quatre faces de la pièce (fig. 357).

Examinons maintenant quelques profils.

Tout d'abord nous devons dire que les profils doivent être étudiés en

Fig. 358, 359, 360, 361, 362, 363, 364, 365 — Têtes de poteaux.

tenant sérieusement compte de l'endroit d'où il seront vus, parce qu'un profil vu d'en bas, par exemple, ne saurait être traité comme s'il était destiné à être vu horizontalement ou encore d'en haut.

Il arrive très souvent que des profils cherchés avec le plus grand soin, et même souvent avec beaucoup de talent par leur auteur, mais dessinés en géométral, produisent un très mauvais effet alors qu'ils ne sont visibles que d'un endroit déterminé.

Nous ne pouvons malheureusement pas indiquer une méthode certaine, mais que chacun, tenant compte de cet avertissement, qui peut s'appliquer à tout ce qui doit être vu sous un certain angle, étudie avec son goût et son sentiment particuliers, et il arrivera peut-être sinon à faire très bien, mais au moins à faire mieux.

La figure 358 nous montre un exemple de ce qu'on peut obtenir à la scie par un chantournement sur chacune des faces.

Dans le même genre et procédant du même travail, nous donnons un choix de terminaisons de poteaux (fig. 359, 360, 361, 362, 363, 364,

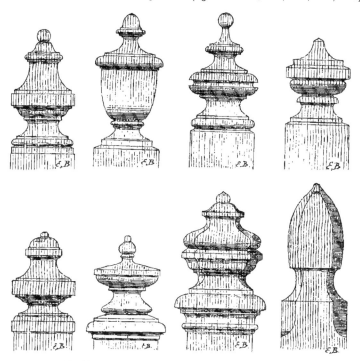

Fig. 366, 367, 368, 369, 370, 371, 372, 373. — Têtes de poteaux.

365, 366, 367, 368, 369, 370, et 371), qui pourront servir, non de modèles, mais seulement à faire naître des idées meilleures.

On peut atténuer la forme un peu blessante des angles en les abattant plus ou moins, soit en faisant un octogone régulier, soit en prenant deux dimensions de facettes (fig. 372).

Encore et procédant de même, la forme octogonale peut être adoptée pour la tête entière et continuée sur une certaine longueur du poteau (fig. 373 et 374).

Parfois aussi, la tête restant à quatre côtés, on abat les angles du poteau proprement dit. Ce sont en quelque sorte de forts chanfreins

arrêtés par des profils plus ou moins importants (fig. 375, 376 et 377).
Enfin, on couronne souvent les poteaux par des

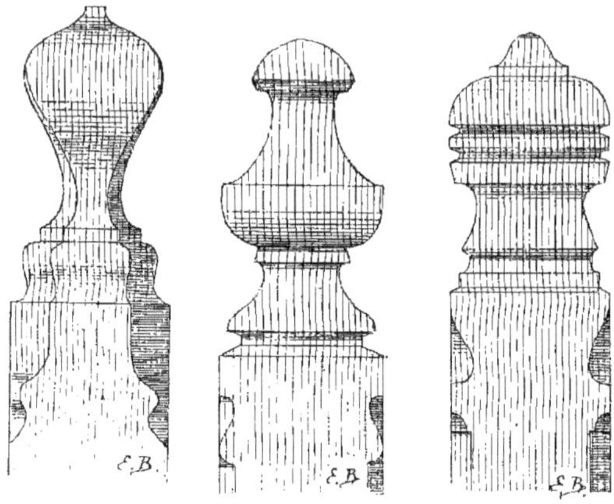

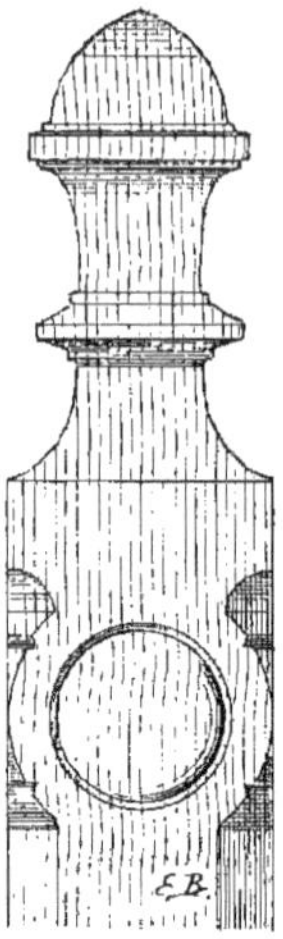

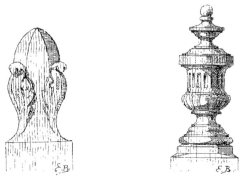

Fig. 374, 375, 376, 377. — Têtes de poteaux.

motifs sculptés dans le genre de la figure 378 ou même on fait ces têtes

Fig. 378 et 379. — Têtes de poteaux.

tournées et sculptées, généralement en forme de vase, comme la figure 379 en donne un exemple.

Culots ou pendentifs. — Quelques-uns des modèles que nous allons
voir ci-après pourraient être utilisés comme têtes de poteaux avec lesquelles ils n'ont souvent, comme différence, que d'être placés d'une
manière complètement opposée.

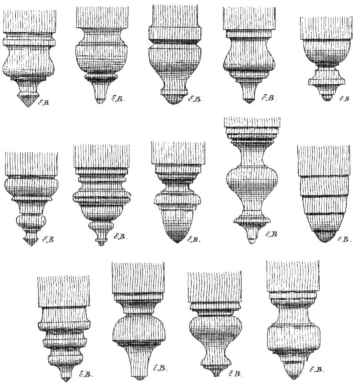

Fig. 380, 381, 382, 383, 384, 385, 386, 387, 388, 389, 390, 391, 392 et 393. — Culots ou pendentifs.

Profilés sur quatre faces par un chantournement à la scie

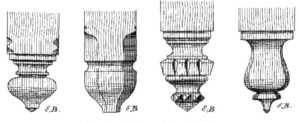

Fig. 394, 395, 396 et 397. — Culots.

(fig. 380, 381, 382, 383, 384, 385, 386, 387, 388, 389, 390, 391, 392 et 393), ils terminent la partie inférieure d'un poteau lorsqu'il est pendant.

Parfois ces culots sont indépendants et rapportés à l'aplomb d'un poteau ou d'une pièce quelconque qui nécessite un motif de terminaison.

De même que pour les têtes de poteaux que nous venons de voir on peut abattre les angles et donner à certaines parties ou à l'ensemble une forme octogonale (fig. 394), ou encore procéder par sculpture ou par taille de facettes géométriques, comme dans l'exemple (fig. 396).

Enfin, en laissant le motif profilé à quatre faces, on peut faire sur le surplus des chanfreins, ou des profils comme il est indiqué (fig. 397).

PALISSADES. CLOTURES

Palissades. — On appelle palissade une clôture ou enceinte composée
de pieux enfoncés en terre, taillés en pointe à leur partie supérieure,
et réunis en haut par des lianes tordues dans chaque intervalle (fig. 398).
Ce genre de palissade n'est pas d'une grande solidité, car la liane ne

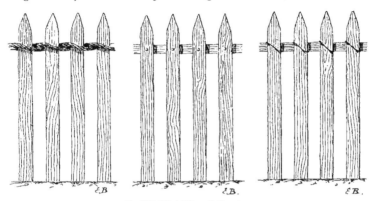

Fig. 398, 399 et 400. — Palissades.

suffit pas pour solidariser les pieux et on ne peut guère compter que sur
l'enfoncement dans le sol pour obtenir une résistance contre les poussées possibles.

Avec une traverse à la partie supérieure (fig. 399) on obtient plus
de rigidité. Si un pieu supporte un effort tendant à le renverser, la
traverse reporte cet effort sur les pieux voisins, il y a donc là une soli-
darité propre à rendre la palissade plus résistante.

Le mode d'attache des pieux sur la traverse a peu d'importance, on
peut employer le clouage, mais il a, lorsque l'on ne tient pas le coup,
l'inconvénient d'ébranler le pieu enfoncé dans le sol. Aussi préfère-

t-on souvent procéder par ligatures en fort fil de fer, comme nous le
montrons (fig. 400).

L'écartement des pieux varie avec la destination. Dans nos exemples
nous avons pris les jours de même valeur que les pleins, mais on pourra
modifier suivant les conditions à remplir.

Clôtures en échalas. — Nous rappellerons tout d'abord que la clôture légale doit avoir une hauteur de 2^m,60 dans les villes au-dessous
de 50.000 âmes et de 3^m,20 dans les villes où la population est supérieure à 50.000 âmes.

Ceci pour les localités de clôture forcée.

Là où la clôture est facultative, on emploie volontiers les treillages,
palissades, haies, etc...

Les clôtures en bois les plus simples, qui conviennent surtout pour
les propriétés rurales, les chemins de fer, etc., enfin partout où le but

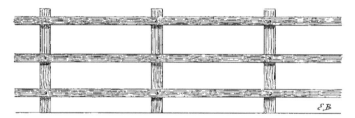

Fig. 401. — Clôture.

à atteindre est surtout de mettre un obstacle au passage des gros animaux, sont celles à lisses (fig. 401), composées de pieux enfoncés en
terre de distance en distance et reliés entre eux par des barres horizontales ou lisses que l'on fixe sur les pieux au moyen de clous, de
boulons ou de liens en fil de fer.

Les pièces, qui composent ce genre de clôture, peuvent être en bois
en grume, en bois brut refendu, en bois brut de sciage, ou enfin en
bois corroyé, suivant tout naturellement le but plus ou moins économique qu'on veut atteindre.

Les clôtures de propriétés et de jardins se font souvent en échalas,
petites tringles provenant de la fente de jeunes arbres — chêne ou
châtaignier. — Des piquets ronds ou refendus de 0,04 à 0,07 de grosseur et espacés d'environ 1^m,20, enfoncés profondément dans le sol, et
réunis par deux ou trois cours de lisses horizontales — ou davantage

suivant la hauteur de la clôture — contre lesquelles on vient fixer les échalas au moyen d'attaches en fil de fer recuit, ou mieux encore galvanisé (fig. 402).

Les échalas ne sont pas toujours droits, l'ouvrier les redresse en

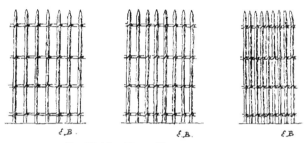

Fig. 402, 403 et 404. — Clôtures en échalas.

leur faisant, dans les parties courbées, une entaille qui permet le redressement.

Suivant la clôture plus ou moins complète qu'on se propose d'obtenir, on espace les échalas de 0,10, mesure prise entre bois suivant la figure 402 ci-dessus, ou avec seulement 0,05 d'écartement (fig. 403).

Avec un espacement de 0,02 on obtient une clôture très bonne qui empêche le passage de tous les animaux (fig. 404).

Enfin, lorsqu'on veut être bien chez soi, on emploie la clôture en échalas jointifs, qui laisse seulement des jours irréguliers — les échalas qui la composent n'étant pas dressés — et de très faible importance (fig. 405).

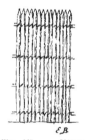

Fig. 403. — Clôture en échalas jointifs.

Clôtures en planches. — On désigne souvent ce genre de clôture sous le nom de palissade, bien qu'il soit fait en planches et non en palis, qui ne sont que des petits pieux pointus d'un bout.

Ces clôtures sont souvent en planches brutes de sciage, clouées sur des traverses portant elles-mêmes sur des poteaux fichés en terre, ou quelquefois scellés dans un massif de maçonnerie.

L'écartement des poteaux varie naturellement avec la résistance que peut présenter la traverse et peut être, suivant les cas, de 2^m,50 à 4 mètres. Les poteaux doivent aussi être proportionnés comme force de bois et comme scellement, suivant que l'écartement sera minime ou considérable.

La figure 406 nous donne un exemple, qui peut être brut de sciage ou rabotté. C'est la planche toute simple qui est employée avec simplement par le haut une pointe obtenue par deux traits de scie.

Le jour laissé entre les planches varie avec la destination de la

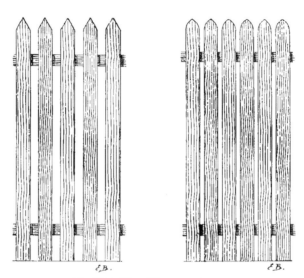

Fig. 406 et 407. — Clôtures en planches.

clôture, mais en tout cas il ne faut jamais dépasser 0,13 d'espace libre entre les planches.

Pour la figure 407, elle peut être traitée comme la précédente. La seule différence consiste dans la forme en ogive des pointes.

D'une manière générale, nous ferons la même observation au sujet des jours entre planches, disant que ces jours varient avec la destination de la clôture, et nous n'y reviendrons plus.

On ne se contente pas toujours de pointes rectilignes ou curvilignes et on cherche parfois au moyen d'un découpage à orner un peu la clôture (fig. 408). Nous avons, dans cet exemple, rapproché les planches de manière à ne laisser qu'un très petit jour entre elles, mais, nous le répétons, on peut faire les espacements qu'on croit meilleurs à la seule condition que la clôture remplisse sa fonction, c'est-à-dire fasse obstacle au libre passage.

Non seulement on peut varier les jours, mais on peut également
faire les éléments constituant la clôture, de différentes largeurs.

Au point de vue construction, c'est un peu un non-sens puisqu'en
mettant des éléments plus étroits pour une même distance entre traverses on crée des points faibles dans la clôture (fig. 409). On pourrait,
il est vrai, obtenir pour les planches étroites une résistance égale à

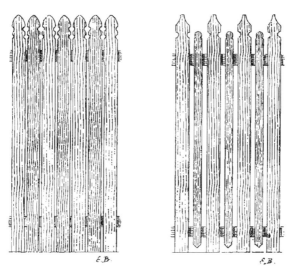

Fig. 408 et 409. — Clôtures en planches.

celle des planches larges, en leur donnant plus d'épaisseur, mais le
mieux croyons-nous est de donner plus de force aux planches larges.

Certaines clôtures ont non seulement pour but d'empêcher le passage, mais encore de ne pas permettre au passant de voir ce qui se
passe de l'autre côté.

Pour obtenir ce résultat, on construit la clôture en planches comme
les précédentes, mais en laissant seulement des petits jours dont la
destination est de permettre au bois de jouer librement et d'éviter les
gondolements qui ne manqueraient pas de se produire si l'on plaçait
les planches jointives, c'est-à-dire en contact.

Pour aveugler ces petits jours variables au gré du jeu du bois, on
place, à cheval sur le dit jour, un couvre-joint en bois mince cloué
sur les planches (fig. 410 et 411).

La figure 410 montre en élévation l'aspect de cette clôture pour laquelle nous avons varié le découpage couronnant chaque planche à sa partie supérieure.

Les poteaux ne sont pas visibles de l'extérieur et se trouvent placés au droit d'un joint.

Les traverses sont de même dissimulées derrière les planches comme il est indiqué sur la coupe (fig. 411).

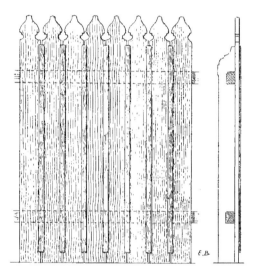

Fig. 410 et 411. — Clôture en planches avec couvre-joints.

La clôture représentée (fig. 412 et 413) est celle qui a servi à entourer l'Exposition universelle de 1900, à Paris. D'un aspect imposant par son ensemble, cette clôture peut s'établir d'une manière relativement économique.

Sa hauteur courante maximum était de $2^m,65$, et les poteaux en bois de $0,180 \times 0,060$, étant espacés de $4^m,00$ d'axe en axe. La traverse supérieure se trouvait à 2,35 au-dessus du sol, et les deux autres espacées de $0^m,89$. Ces traverses étaient en bois de $0,060 \times 0,110$. Enfin, les planches en $0,032 \times 0,23$.

A chaque distance de 4 mètres — espacement des poteaux — deux planches jointives formant à elles deux $0^m,50$ de largeur, dépassent la clôture de $0^m,90$ environ et forment un motif découpé qui rompt la monotonie inévitable avec un aussi grand développement de clôture.

La figure 412 indique l'ornementation obtenue par des découpages et par l'adjonction de boutons tournés et de pointes de diamant.

La figure 413, coupe verticale, montre la position des traverses ainsi que les profils des pointes de diamant, boutons ou cabochons.

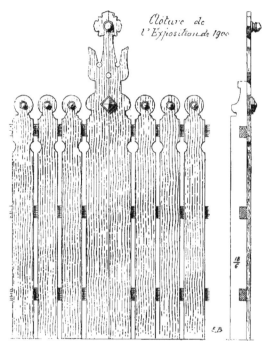

Fig. 412 et 413. — Clôture en planches.

Le découpage employé sur la longueur complète des planches formant la clôture procure aussi une ornementation heureuse. Le modèle que nous donnons (fig. 414), en donne une idée, mais serait, à notre avis, bien mieux si les jours étaient plus restreints. Cette clôture est à trois traverses, comme celle qui précède, mais ces traverses sont placées à des espacements inégaux.

Dans une clôture, les poteaux peuvent être apparents et participer eux-mêmes à la décoration. On peut même les détacher en saillie, pour rompre la ligne droite toujours un peu ennuyeuse, et marquer les travées.

Dans notre exemple (fig. 415 et 416), nous avons fait affleurer le
poteau avec les planches, mais il serait mieux, croyons-nous, de faire
saillir le poteau de tout le côté formé par le triangle enlevé par le chanfrein.

La figure 415, élévation, montre le poteau surmonté d'une tête profilée sur quatre faces dont nous
avons donné précédemment des
exemples figures 356 à 379.

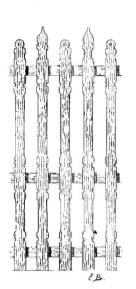

Fig. 414. — Clôture en planches.

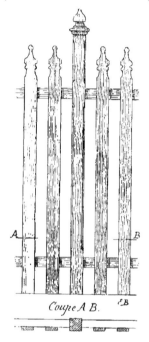

Coupe A B.

Fig. 415 et 416. — Clôture en planches.

Nous avons varié un peu le découpage de terminaison des planches.

La figure 416, coupe AB, donne la section horizontale et indique la
position des planches et des traverses par rapport au poteau.

Suivant le but qu'on se propose d'atteindre, il peut y avoir utilité,
pour éviter l'entrée de petits animaux par exemple, à avoir les éléments
formant la clôture plus rapprochés dans la partie inférieure que dans
la partie supérieure.

Dans ce cas, on construit la clôture en laissant des jours assez considérables, et on vient redoubler par le bas en plaçant des planches
intermédiaires fixées sur les deux traverses inférieures (fig. 417).

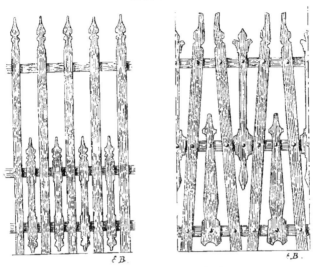

Fig. 417 et 418. — Clôtures en planches.

Le modèle que nous donnons (fig. 418), procède d'une idée plutôt bizarre, composé de planches clouées obliquement sur trois traverses et dont les intervalles alternativement larges et étroits sont garnis en haut ou en bas de planches découpées qui viennent redoubler les premières et réduire la largeur des jours entre les planches.

Ces clôtures se placent aussi parfois sur des petits murs ou bahuts de 0m,80 à 1 mètre de hauteur.

Les figures 419 et 420 montrent une clôture dans laquelle les traverses sont en deux pièces, ces traverses qui sont en réalité des moises, serrent les planches entre elles deux.

Ce procédé est favorable à la conservation, en ce sens que l'eau provenant des pluies ne peut séjourner comme cela a lieu pour les traverses ordinaires qui présentent une surface relativement grande.

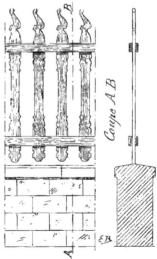

Fig. 419 et 420. — Clôture en planches sur bahut.

Les planches, dans cet exemple, sont aussi découpées sur toute leur longueur.

La figure 420, coupe AB, montre la disposition des traverses.

Egalement sur bahut, sont les types représentés (fig. 421 et 422).

Le premier de ces types oblige, comme on peut le voir sur le dessin,

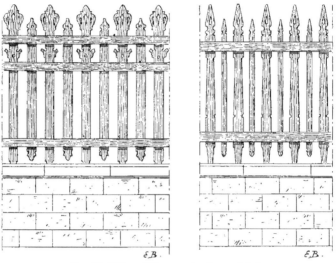

Fig. 421 et 422. — Clôtures en planches sur bahut.

à une perte de bois assez considérable, sacrifice qui ne nous paraît pas justifié par l'effet obtenu.

Les clôtures en planches, en général, n'ont qu'un caractère provisoire. Le bois se comporte mal lorsqu'il est exposé aux intempéries, et la peinture, bien qu'elle soit un excellent moyen de préservation, ne peut lui assurer une longue durée.

Comme dans tous les bois découpés, lorsqu'il y a plusieurs pièces présentant le même profil, on découpe plusieurs pièces en une seule passe de scie.

Portes. — Les portes, dans les clôtures en planches, se font du même genre que ces clôtures. Elles comprennent des montants ou poteaux et un châssis sur lequel on vient clouer les planches.

Pour les portes qui forment motif principal et se détachent de la clôture, voir les figures 129 et suivantes.

CONSOLES

Une console est un support utilisé pour soutenir une tablette, un balcon, un avant-toit, et généralement tout ce qui, faisant saillie sur un nu, a besoin de se trouver soulagé par un support résistant. La console type est la potence rectiligne.

Consoles en bois découpé. — Le bois se prête bien au découpage et permet de faire des consoles très décoratives à peu de frais. C'est surtout à l'intérieur qu'elles doivent être employées, ou tout au moins dans un endroit couvert, car le bois se comportant mal exposé aux intempéries, si on exposait successivement à la pluie et au soleil des pièces ajourées de délicats découpages elles seraient bien vite hors d'état de remplir la fonction à laquelle elles seraient destinées.

Fig. 423. — Console.

Pour soutenir les tablettes, on emploie des consoles simples, dans le genre de celle que nous représentons (fig. 423).

Une difficulté dont nous devons parler tout d'abord réside dans la pénurie des moyens de fixation de la console. Comme toute pièce de cette forme, lorsqu'une console est appliquée contre une paroi et si minime que soit le travail qui lui est imposé, elle tend à pivoter sur son extrémité inférieure en s'appuyant sur la paroi, tandis que son extrémité supérieure, elle, ne cherche qu'à quitter le contact de cette même paroi.

A la partie inférieure un clou suffit pour empêcher la descente verticale et le déplacement latéral. Pour le haut c'est plus difficile, et malgré l'ingéniosité des menuisiers habiles qui en lardant des pointes arrivent à obtenir une certaine solidité, il n'en est pas moins vrai que la forme de la console ne se prêtant que très rarement à l'emploi de la vis, ce qui serait la meilleure solution, c'est toujours là qu'est le point faible.

Il faudrait donc, à notre avis, avoir à la partie supérieure une patte à vis, vissée horizontalement dans la paroi et des vis verticales qui fixeraient la patte entaillée sur la console. On aurait ainsi, croyons-nous, une suffisante solidité.

On peut faire ces consoles d'un découpage symétrique sur la bissectrice comme dans la figure 424 ou encore suivant le profil indiqué (fig. 425).

Si la console est entièrement vue, et qu'on veuille lui donner une

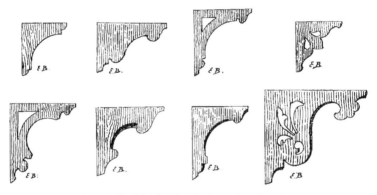

Fig. 424, 425, 426, 427, 428, 429, 430 et 431. — Consoles.

apparence de légèreté, on peut y découper de petits ajours plus ou moins compliqués (fig. 426, 427 et 428).

Sans ajourer le corps de la console, on peut se contenter de profiler et de relever par quelques chanfreins, réguliers comme nous l'indiquons (fig. 429), ou réguliers et adoucis suivant la figure 430.

Combinaison des précédentes, chantournée, ajourée et à chanfrein l'exemple (fig. 431) a été dessiné d'après une console faisant partie d'un chalet en Suisse dans l'Oberland bernois. Sa silhouette nous a paru présenter une certaine originalité, et c'est ce qui nous a engagé à faire figurer ici ce dessin.

Avec la figure 432, nous arrivons aux consoles de dimensions relativement grandes, et ici nous aurons une observation à faire : nous avons eu déjà l'occasion de parler des défauts du bois, de sa faculté ou plutôt de son défaut de jouer, d'être éminemment hygrométrique, et de se contrarier de forme suivant que la pièce a été prise dans un sens ou dans l'autre des couches successives qui forment le tronc d'un arbre.

Mais ici, c'est seulement de ce qu'on appelle le fil du bois que nous voulons parler. Dans la spécialité qui nous occupe, les consoles, les pièces sont prises dans une planche si elles sont de petites dimensions ou dans des planches assemblées entre elles, si les dimensions sont grandes.

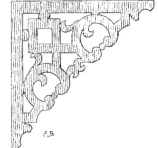

Fig. 432. — Console.

Or, le bois est assez résistant si l'effort se présente parallèlement à ses fibres, alors qu'il est très cassant si ce même effort est perpendiculaire à ces mêmes fibres.

Nous n'avons pu, dans nos dessins, qui ne sont que des exemples de formes, sans dimensions définies, fixer les éléments fibreux les plus propres à rendre ces supports solides. Nous sommes donc obligé d'ap-

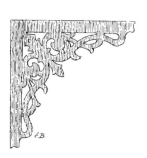
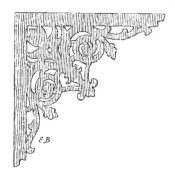

Fig. 433 et 434. — Consoles.

peler seulement l'attention des constructeurs sur ce point, en insistant sur la nécessité de placer les fibres suivant les conditions particulières de résistance réclamées par la destination.

Les figures 433 et 434 comportent un découpage symétrique par rapport à la bissectrice. Elles sont plus décoratives que solides, mais sont propres néanmoins à bien équerrer une tablette.

Suivant leur destination les consoles ont à leur partie supérieure une dimension plus ou moins grande, la composition du découpage se

ressent naturellement de cette nécessité. C'est ce que nous montrons
(fig. 435).

Avec la partie verticale et la partie horizontale sensiblement pareilles
on peut dessiner la console dans le genre de la figure 436.

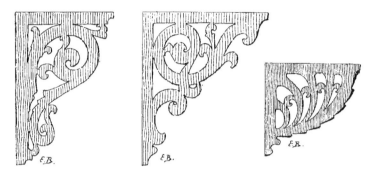

Fig. 435, 436 et 437. — Consoles.

Avec plus de saillie que de hauteur, les figures 437, 438 et 439 montrent des exemples de découpages, avec et sans addition de chan-

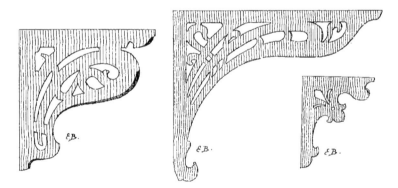

Fig. 438, 439 et 440. — Consoles.

freins. — Les figures 438 et 439 sont un peu dans le goût art nouveau.

Les figures 440 et 441 sont encore d'autres variantes de formes de
consoles.

Enfin, il nous reste à dire que ces consoles ne sont pas fatalement
toujours coupées à angle droit mais peuvent aussi, suivant les besoins,

être à angle ouvert ou obtus, c'est-à-dire plus grand que 90° ; ou à angle fermé ou aigu, c'est-à-dire plus petit que 90°.

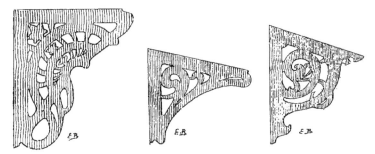

Fig. 441, 442 et 443. — Consoles.

Nos figures 442 et 443 sont de ce dernier genre et peuvent servir pour tablettes de pupitres et généralement pour tout objet à soutenir dans une position inclinée.

Consoles assemblées. — Ces consoles sont en quelque sorte de petits ouvrages de charpenterie. Elles sont destinées à servir de support à un balcon ou à une partie de construction quelconque disposée en encorbellement.

Un modèle très simple est construit comme une potence (fig. 444).

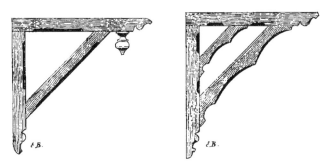

Fig. 444 et 445. — Consoles.

il se compose de trois pièces droites, assemblées à tenons et mortaises avec abouts profilés, chanfreins et culot ou pendentif.

Un peu plus ouvragée est la console représentée (**fig.** 445) qui est à deux jambes de force, et dans laquelle l'élément courbe intervient et qui est décorée de chanfreins réguliers et de chanfreins adoucis. Comme dans le cas qui précède, les abouts sont profilés.

Avec la figure 446 nous avons la jambe de force courbe suivant un

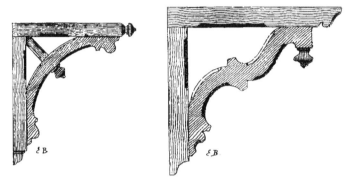

Fig. 446 et 447. — Consoles.

rayon dont le centre est placé à la hauteur de la naissance. Au point de vue de la résistance, cette jambe de force est loin de valoir la jambe de force simplement droite, mais, d'autre part, elle est beaucoup plus

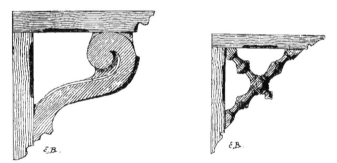

Fig. 448 et 449. — Consoles.

décorative, ce qui peut excuser la perte de bois et le travail que sa forme exige.

Les consoles comportant des courbes irrégulières ont les mêmes défauts que la précédente. Voici, par exemple, la figure 447 qui exigerait pour une console de $0^m,80$ de saillie un bois de $0^m,23$ de largeur pour pouvoir y trouver ce profil, et celui de la figure 448 pour $0^m,65$ seulement de saillie ne pourrait être pris dans un bois moindre de $0^m,28$.

Nous avons essayé dans ces exemples d'appliquer la théorie exposée plus haut au sujet du sens des fibres du bois et nous avons indiqué, en dessinant ces fibres sur les figures pour montrer qu'il faut, autant qu'il est possible, faire travailler le bois debout.

Le tournage est aussi employé dans la confection des consoles. Il offre la ressource de formes modelées qui produisent d'heureux effets de lumière.

C'est, naturellement, la jambe de force qui se prête à ce genre de travail, et la perte de bois est peu considérable (fig. 449).

Consoles assemblées et découpées. — C'est une combinaison des deux genres de consoles que nous venons d'examiner, c'est-à-dire une ossature en petite charpenterie, avec remplissage en bois découpé assemblé à l'ossature par embrèvement (fig. 450).

Dans cet ordre d'idées nous allons examiner quelques exemples.

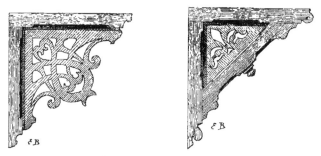

Fig. 450 et 451. — Consoles.

La figure 451 est du même genre que la console donnée (fig. 444), mais avec le triangle formé par les trois pièces résistantes garni par un panneau de bois découpé.

Sur chacun des dessins que nous donnons, nous varions, dans la mesure du possible, les profils des doucines et des autres pièces, de manière à permettre de choisir ceux qui conviendraient le mieux dans une composition nouvelle.

Tous les exemples qui suivent pourraient être faits avec des jambes de force droites, mais nous avons préféré donner une variété de courbes, parce qu'il sera toujours aisé de simplifier et de ramener le travail à une plus grande facilité d'exécution.

La figure 452 donne une console dans laquelle la saillie est inférieure à la hauteur. Cette disposition, au point de vue de la solidité, est excellente, plus la partie verticale en contact avec la paroi est longue,

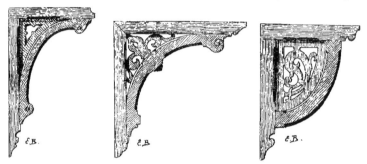

Fig. 452, 453 et 454. — Consoles.

moins la traction horizontale, en haut de cette partie verticale, est forte.

L'on peut facilement se rendre compte expérimentalement de la vérité de ce que nous disons par un simple essai, et rien ne vaudra pour bien comprendre comme de l'avoir fait soi-même.

La figure 453 nous montre une disposition analogue à celle donnée

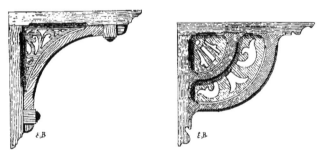

Fig. 455 et 456. — Consoles.

(fig. 446), mais avec remplissage du triangle partiellement curviligne par un panneau embrevé et découpé.

Avec la forme courbe faisant saillie en dehors, on obtient un bon aspect de solidité, mais l'aspect seulement, car nous le répétons, rien ne vaut mieux que la jambe de force droite, mais enfin elle donne l'illusion d'un robuste corbeau et sa forme ne manque pas d'élégance (fig. 454).

La figure 455 ne diffère de la console précédente (fig. 453) que par le dessin du découpage et par la plus grande légèreté de la jambe de force, légèrement amincie pour permettre une petite saillie aux cubes portant les boutons.

Enfin nous terminons la série de nos exemples par une console à deux jambes de force courbes et non parallèles (fig. 456). Le remplissage est, comme pour celles qui précèdent, découpé et embrevé dans l'ossature.

Ne pouvant prévoir les différents cas qui peuvent se présenter dans la pratique, nous avons dû nous borner à donner des exemples de formes, mais il sera toujours facile, une fois les dimensions d'exécution arrêtées, d'agrandir celui de nos dessins qui serait choisi, en donnant, bien entendu, les forces de bois pouvant convenir suivant le but qu'on se proposera d'atteindre.

BOIS DÉCOUPÉ

Grâce à la facilité relative de travail que présente le bois, c'est probablement le premier matériau qui a été employé dans la construction.

Bien que le bois découpé soit employé depuis fort longtemps il y a tout lieu de croire que les premiers ouvrages de cette matière destinés à la décoration étaient plutôt taillés et sculptés que découpés.

Au commencement, on s'est servi pour façonner le bois d'un instrument tranchant quelconque, une sorte de tranchet ou de couteau, probablement. Puis, avec le ciseau, la hache et autres, le travail a été rendu plus facile.

Les premiers bois découpés étaient obtenus à l'égoïne, — scie à main composée d'une lame dentée et d'une poignée —, ou perçait tout d'abord un trou et l'on y engageait la lame de la scie pour après lui faire suivre les contours dessinés et représentant le découpage qu'on se proposait d'obtenir.

Mais le grand développement qu'a pris l'emploi du bois découpé n'a vraiment commencé que lorsque la scierie mécanique à permis de découper promptement et économiquement les capricieux dessins et les plus délicats contours, sans qu'il soit besoin de terminer le travail à la main.

La scie employée est celle à mouvement alternatif, montant et descendant, dite sauteuse, c'est-à-dire le même mouvement que l'ouvrier imprime à son outil lorsqu'il scie à la main.

On peut, quand on découpe des bois de peu d'épaisseur, les planches par exemple, scier plusieurs pièces ensemble; on perce un trou préalable dans chacun des ajours et on y introduit la lame de la scie que l'on vient ensuite pincer dans sa monture, puis l'on présente la pièce à la scie de manière à suivre tous les contours du dessin.

Chaque ajour nécessite le démontage d'une des extrémités de la scie, son introduction dans le trou préparatoire et le repinçage dans la monture.

Lambrequins. — Les lambrequins sont des ornements en bois découpé que l'on place, pendants, à l'extrémité d'un toit, en pignon ou en long pan, ou dans toute autre partie de construction où ils peuvent concourir à l'ornementation. Ce sont des ornements plus ou moins dentelés, propres à dissimuler l'extrémité des chevrons ou à remplir tout autre but analogue.

Généralement, ils sont pris dans des planches et composés d'élé-

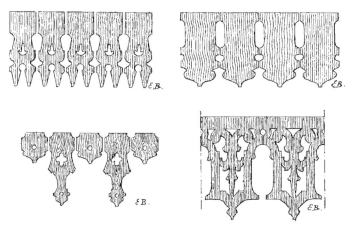

Fig. 457, 458, 459 et 460. — Lambrequins.

ments de petite longueur, car on comprend que la nécessité de tourner ou de faire virer la pièce pour la présenter à la scie limite forcément cette longueur, le travail étant d'autant plus facile que la pièce est plus courte.

La figure 457 nous montre un exemple composé de petits éléments juxtaposés et fixés sur une traverse. Ce mode de procéder permet de conserver le fil du bois dans le sens le plus propice à sa résistance.

Les lambrequins, en plus de leur contour extérieur, peuvent être ajourés, ou pleins comme notre dessin (fig. 458). Moins ils sont ajourés et plus ils sont solides.

On alterne parfois des éléments longs et des éléments courts (fig. 459), ce qui donne moins de monotonie à la ligne ornementale obtenue.

Le découpage est plus ou moins riche. On fait des lambrequins très
ajourés (fig. 460), mais ils sont peu solides, et comme presque toujours
ils sont exposés au soleil et à l'eau, c'est-à-dire supportent des alternatives d'humidité et de dessiccation, ils sont assez
promptement en mauvais état.

Dans les parties rampantes, les lambrequins
sont dessinés de manière à pendre verticalement
(fig. 461). C'est dans la décoration des pignons,
ou pour toute autre partie inclinée, que s'emploient
ces lambrequins.

Crêtes. — Une crête est une suite d'ornements
découpés qui décorent l'arête supérieure d'un toit.

Fig. 461. — **Lambrequins
rampants.**

C'est surtout la position qui distingue les crêtes des lambrequins,
car alors que les lambrequins sont pendants, les crêtes se dressent en

Fig. 462 et 463. — Crêtes.

l'air, en couronnement de faîtages, ou au-dessus des chénaux, où elles
forment une dentelle se détachant sur le ciel (fig. 462).

Elles sont plus ou moins découpées et on peut leur appliquer les
observations faites au sujet des lambrequins, car elles sont au moins
aussi exposées aux intempéries (fig. 463).

Frises. — En architecture, la frise est la partie de l'entablement qui
sépare l'architrave de la corniche. Dans la spécialité qui nous occupe,
le bois découpé, la frise semble emprunter sa forme à l'élément de dentelle ou de broderie appelé entre-deux.

Les frises sont découpées dans des planches dont la longueur n'est
limitée que par la nécessité de faire virer la pièce pour la présenter à
la scie dans le sens exigé par le dessin.

Les dessins employés peuvent être géométriques comme notre

figure 464, dont les grands ajours peuvent convenir dans certains cas où la lumière est nécessaire.

Également géométrique le dessin (fig. 465) est une grecque, ornement composé d'une suite de lignes droites toujours parallèles ou perpendiculaires entre elles et s'entre-croisant quelquefois.

On procède aussi parfois par des ornements courants, sortes de postes

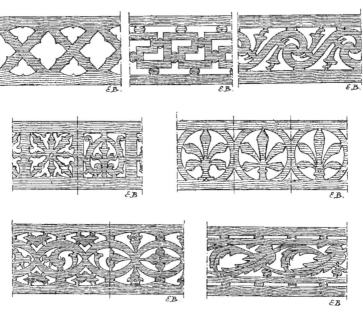

Fig. 464, 465, 466, 467, 468, 469 et 470. — Frises.

ornées (fig. 466), ou bien encore par des motifs de répétition dont nous donnons deux modèles différents (fig. 467).

La flore offre aussi des motifs, nous en donnons un exemple (fig. 468) dans lequel on a employé la feuille de marronnier. Nous en avons varié le dessin en donnant trois feuilles légèrement différentes.

Avec la figure 469, nous revenons aux compositions de motifs courants et de répétition, et nous reprenons la flore pour composer le dessin (fig. 470) qui forme une ornementation courante et qui est rehaussé d'engravures.

Épis. — L'épi est un ornement qui décore l'extrémité d'un poinçon ou le sommet d'un pignon.

Les épis sont, dans la construction en bois, accompagnés de motifs découpés, placés latéralement, ou garnissant l'angle formé par la tige du poinçon et la toiture.

Ils sont parfois de peu de hauteur comme dans nos exemples (fig. 471 et 472). Suivant la forme du comble qu'ils surmontent, ils sont accompagnés de deux ou de quatre motifs découpés.

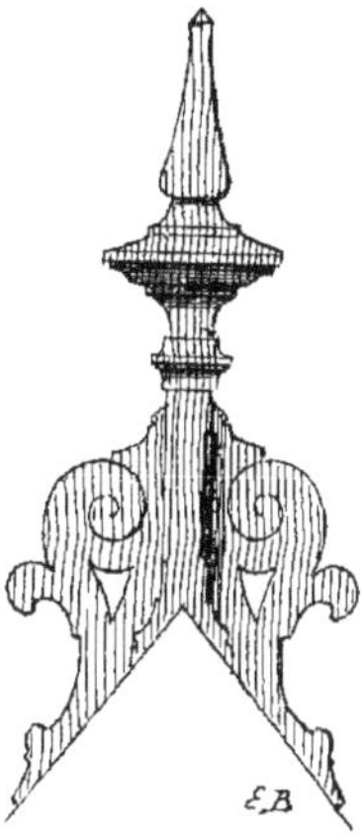

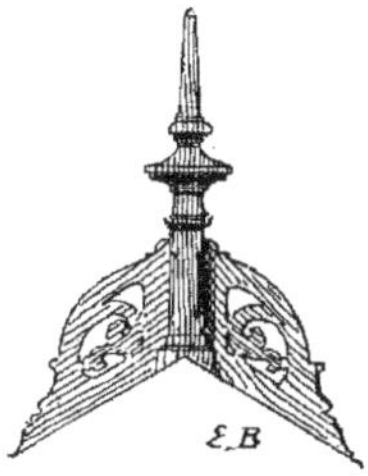

Fig. 471, 472, 473, 474, 475 et 476. — Epis.

La figure 473 est déjà d'une certaine importance. Sa pointe peut être faite plus élancée que nous ne l'indiquons, et c'est exprès, parce qu'elle aurait tenu ici une place qui peut être mieux utilisée.

Pour comble très aigu, la figure 474 donne un modèle simple dont les côtés sont appuyés par deux découpages d'amortissement.

Parfois, le poinçon est continué ou un épi rapporté vient le conti-

nuer au-dessus du faîtage ; c'est ce cas que nous indiquons (fig. 475),
conseillant seulement de mettre quatre crossettes au lieu de deux.

Enfin (fig. 476), voilà un grand épi, auquel nous avons dû couper
la pointe pour lui permettre d'entrer dans notre cadre.

Il émerge de deux crêtes rampantes et est orné de découpages déga-
gés par le bas et prenant toute leur ampleur dans la partie haute.

Motifs d'angles. — Les motifs d'angles, qu'ils soient d'équerre ou
suivant un rampant, servent à motiver la fin d'une ligne de toiture, soit
horizontale, soit inclinée. Dans ce dernier cas, le motif d'angle incliné

Fig. 477, 478 et 479. — Motifs d'angles.

placé à la partie basse d'un pignon occupe la place qui était réservée
aux acrotères dans les frontons grecs et romains.

En bois, ils ont une prétention plus modeste, suivant leur dessin,
ils peuvent simplement motiver les extrémités d'un pignon, ou celles
d'un long pan (fig. 477 et 478). Dessinés en conséquence, ils peuvent
servir d'amortissement à une crête soit rampante, soit horizontale
(fig. 479).

Frontons. — En bois découpé, le fronton est un motif-milieu se

Fig. 480. — Fronton.

plaçant au-dessus d'une porte ou à tout autre endroit où il peut concourir à la décoration.

La figure 480 est un vase accolé de deux rinceaux fort simples.

Plus découpée est la figure 481, préparée pour surmonter une porte ou un panneau. C'est surtout dans les cloisons de séparation que ces motifs sont utilisés, dans les cafés ou restaurants par exemple.

Fig. 481, 482 et 483. — Frontons.

Certains de ces motifs présentent des découpages très ajourés comme en montrent nos figures 482 et 483. Ces derniers modèles sont d'assez grandes dimensions et nous avons dû les réduire pour leur trouver place.

Pavillons. — En menuiserie, un pavillon est un petit écran en bois découpé qui sert à dissimuler le paquet que forment les lames d'une jalousie quand elle est entièrement relevée.

Là aussi le dessin du découpage est une question de goût et que par conséquent nous devons nous abstenir de discuter.

Notre premier exemple (fig. 484) est très ajouré et ses rinceaux d'une grande et même excessive légèreté.

Le pavillon représenté (fig. 485) mérite le même reproche mais est un peu plus heureux comme dessin.

Plus solide, et certainement d'un aussi bon effet au moins, est le modèle donné (fig. 486) qui ne présente que dix ajours et est par conséquent d'un prix de revient moindre.

Fig. 484, 485, 486 et 487. — Pavillons.

Pour les baies cintrées, le pavillon épouse naturellement la forme de la baie, et on traite le dessin de découpage en conséquence, (fig. 487).

Panneaux découpés. — Pour les petits panneaux triangulaires ou curvilignes nous prions nos lecteurs de se reporter aux consoles, figures 423 à 443 et 450 à 456 où ils trouveront peut-être quelques indications utiles.

Les panneaux en bois découpé sont utilisés dans les cloisons de séparation des cafés, restaurants et généralement partout où il s'agit de séparer sans clore d'une manière absolue.

L'exemple (fig. 488) peut être doublé dans sa hauteur, et formerait ainsi un panneau à dessin symétrique.

Le panneau carré (fig. 489) est très propre à servir de motif de répétition en encadrant chaque carré dans un châssis.

Fig. 488 et 489. — Panneaux.

Balustres de balcons. — Quoique le mot balustre soit improprement employé ici, nous le conservons parce qu'il a été adopté par les fabricants pour désigner les éléments formant les balcons et les balustrades ou garde-fous.

La figure 490 nous donne un exemple très sobre et d'aspect très robuste emprunté à la construction suisse.

Aussi simples et de même sans ajours, les balustres représentés

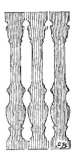

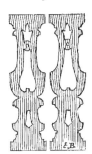

Fig. 490, 491, 492 et 493. — Balustres.

(fig. 491), peuvent être placés presque en contact, ou écartés comme cela se pratique pour les balustres en pierre.

Les balustres se font aussi avec ajours découpés dans le genre de ce qu'indique la figure 492 composée de parties rectilignes avec remplissage d'ornement.

Se rapprochant du profil des balustres en pierre, le modèle (fig. 493) est également ajouré, mais dessiné avec une plus grande préoccupation de conserver les fibres du bois.

Enfin, les balustres en bois s'emploient aussi dans les parties inclinées, pour les rampes d'escaliers par exemple. Le dessin de ces balustres

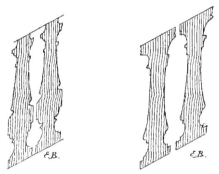

Fig. 494 et 495. — Balustres rampants.

doit alors être fait en tenant compte du rampant et le profil se trouve déformé pour rester, dans chacun de ces points, parallèle à la rampe.

La figure 494 imitant aussi le profil des balustres en pierre, peut être avec des éléments plus éloigné les uns des autres comme cela se fait souvent dans les balustrades.

Traitée avec un profil différent la figure 495 est du même genre que la précédente.

Nous ne nous arrêterons pas davantage sur les bois découpés, ce n'est que par exception que le menuisier est appelé à en faire, et les albums de découpeurs fournissent des modèles à profusion.

CHEMINÉES EN BOIS

On entend par les mots cheminée en bois un habillage en menuiserie de la cheminée proprement dite, et cette enveloppe doit toujours être isolée du contact du feu.

L'usage des cheminées ne semble pas remonter au delà du xiiᵉ siècle. Auparavant on se servait pour le chauffage de réchauds portatifs, braseros ou autres.

Les premières cheminées étaient construites en pierre et par cela se prêtaient difficilement à une ornementation convenant aux pièces d'habitation dans lesquelles on employait déjà les revêtements et lambris en bois et on fut amené à compléter l'ensemble de ces revêtements par d'autres lambris enveloppant totalement la cheminée.

De magnifiques cheminées ont été édifiées dans les châteaux de la fin de l'époque ogivale et pendant la Renaissance, mais notre cadre nous oblige à la modestie et nous nous bornerons à examiner quelques modèles de cheminées en bois de dimensions relativement restreintes et pouvant convenir pour des appartements.

Les cheminées peuvent être, et, disons-le, sont presque toujours à deux corps, l'un habillant la cheminée proprement dite, et l'autre la surmontant. Souvent cette partie supérieure sert de cadre à une glace.

Notre premier exemple (fig. 496, 497, 498, 499, 500 et 501) est d'une construction très simple et traité dans le goût de la Renaissance.

La figure 496 donne l'élévation de cette cheminée. Le soubassement avec montants et traverse en pointes de diamant. Le corps supérieur avec montants à canaux, et glace dans un cadre à crossettes avec rosaces.

Le tout couronné d'un fronton brisé, motivé au centre par un fleuron reposant sur une petite base.

Coupe A.B.

Vue latérale.

Coupe CD.   Coupe E.F.   Coupe CD   Coupe E.F.

Fig. 496, 497, 498, 499, 500 et 501. — Cheminée en bois.

La figure 497 montre la vue latérale de cette cheminée. On voit que les côtés sont très simples et peuvent être faits en lambris à petits

Coupe A.B.

Vue latérale.

Fig. 502, 503 et 504.

cadres ou, si on est pourvu de l'outillage nécessaire, défoncés à la toupie.

La figure 498, coupe AB donne l'ensemble de la section verticale.

La figure 499 indique les coupes CD et EF prises dans le soubassement et dans le corps supérieur où se trouve la glace.

La figure 500 donne à plus grande échelle la coupe CD. On remarquera la pièce à feuillure destinée à recevoir des panneaux de faïence.

Enfin, la figure 501 est le grandissement de la coupe EF, on y voit
la feuillure préparée pour recevoir la glace.

Également conçue dans le style Renaissance, la cheminée que nous
représentons (fig. 502, 503 et 504) est plus riche que la précédente.

Elle est composée également de deux corps, celui inférieur constituant la cheminée proprement dite, et celui supérieur qui est pure-
ment décoratif.

Dans le corps inférieur deux demi-colonnettes supportent la traverse
qui est elle-même ornée de petits modillons entre lesquels se placent de
petits panneaux défoncés.

Le corps supérieur se décrit suffisamment lui-même et il nous suffira de dire que le panneau plein pourrait être remplacé par une glace.

La figure 503 nous montre la vue latérale de la cheminée dans
laquelle nous avons indiqué des panneaux défoncés, comme dans notre
précédent exemple, mais qui pourraient être aussi faits en lambris à
petits cadres.

On voit sur cette figure les quelques profils qui ne pourraient être
donnés sur l'élévation.

La figure 504, coupe AB, représente, dans toute la hauteur, la section
verticale de la cheminée.

Comme dans le précédent exemple encore, le rétrécissement peut
être fait par des panneaux de faïence ou par des petits carreaux à
dessins.

Voici maintenant un exemple dans le style de la fin du xvie siècle
(fig. 505, 506 et 507), qui est véritablement un meuble qui pourrait être
déplacé avec la plus grande facilité car la cheminée proprement dite
est complètement comprise dans l'épaisseur de la maçonnerie.

Comme le montre la figure 505 qui représente l'élévation de la cheminée, celle-ci se compose simplement de deux jambages et d'une hotte
d'ailleurs simplement décorative.

Les jambages ont une saillie très minime, $0^m,18$ environ, sur une
certaine hauteur, puis s'infléchissent pour venir supporter l'encorbellement de la hotte, et sont terminés par une feuille.

La figure 506 est la vue de côté de la cheminée.

Coupe A B.

Fig. 505, 506 et 507. — Cheminée en bois.

La figure 507, coupe AB, donne seulement la section des jambages.

Autre cheminée Renaissance, mais cette fois avec hotte. Cette che-

Fig. 508. — Cheminée en bois.

minée peut aussi bien être placée sur un mur que dans un angle, sa forme s'y prête parfaitement.

Le corps inférieur, ou cheminée proprement dite, est une combi-

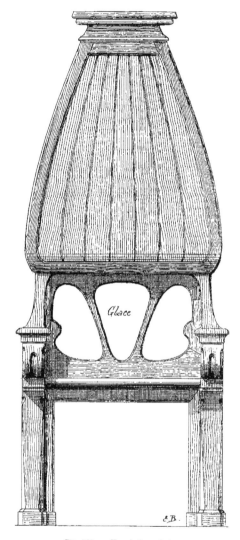

Glace

Fig. 509. — Cheminée en bois.

naison de nos deux premiers exemples, avec seulement quelques modifications ou adjonctions (fig. 508).

Nous avons construit la hotte avec un bâti, un châssis et des frises à baguettes sur joints pour former les panneaux.

Il est évident que ces panneaux pourraient également être faits en lambris, l'importance du travail du corps inférieur de cette cheminée l'expliquerait parfaitement.

Nous ne voulons pas terminer sans donner aussi quelque chose en art nouveau, ou approchant. La figure 509 nous montre un spécimen de forme dans ce style dit moderne.

Nous aurions peut-être pu faire un meilleur choix, car il y a de fort jolies choses dans ce style nouveau, surtout celles qui sont dessinées par des architectes qui, admirables dessinateurs, se sont spécialisés dans ce genre et ont produit des créations de grande valeur.

Mais nous n'avons pas ici à faire une critique de l'art nouveau, d'autre part notre figure n'a d'autre prétention que d'indiquer une forme, nous nous arrêterons donc et passerons à un autre sujet.

PLAFONDS EN BOIS

Pendant la période ogivale et celle de la Renaissance, on a fait beaucoup de plafonds en bois apparents. Ces plafonds n'étaient autre chose que la construction vraie du plancher qui se composait, suivant les portées, de poutres principales et de solives reposant sur ces poutres ou assemblées avec elles.

Il y avait de ces planchers ou plafonds, comme on voudra les appeler, qui étaient absolument composés de pièces brutes, et même pas toujours très droites. L'usage s'en est conservé et on peut en voir encore qui présentent ce caractère rustique.

Mais, avec le besoin de luxe qui se produit dans toutes les sociétés lorsqu'elles arrivent à un certain degré de civilisation, on a pensé que ces poutres et solives dressées et travaillées fourniraient une riche décoration, et que la peinture aidant, on obtiendrait des fort beaux plafonds composés de creux et de saillies qui ne sont dus en somme qu'à la structure constructive de plancher utilisée rationnellement pour obtenir une décoration belle et vraie.

Les plus simples de ces planchers apparents ou plafonds à caissons sont obtenus par un simple solivage lorsque la portée, relativement restreinte, peut être franchie avec sécurité par les solives seules.

Notre dessin (fig. 510 et 511) donne un exemple dans lequel les solives constituent toute l'ornementation. La figure 511, coupe AB, montre la composition de l'aire.

Les solives ont ici une portée de 4 mètres et sont écartées de $0^m,33$ d'axe en axe.

Si l'on suppose une charge totale, — poids mort et surcharge, — de 400 kilogrammes par mètre on aura :

$4^m,00 \times 0,33 \times 400^{kg} = 528$ kilogrammes charge uniformément répartie sur toute la longueur de la solive.

Cherchons maintenant les dimensions que devra avoir une solive pour pouvoir porter avec sécurité cette charge de 528 kilogrammes.

La formule $\frac{PL}{8} = \frac{1}{n}$, dans laquelle P est le poids à porter et L la portée dans l'œuvre, devient $\frac{528^{k} \times 4,00}{8} = 264$.

Si, maintenant, nous faisons travailler le bois à 50 kilogrammes par

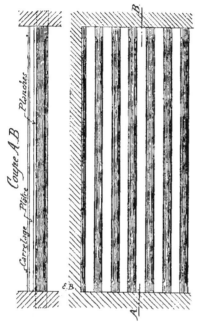

centimètre carré, on prendra le coefficient 500.000, désigné dans la formule par la lettre R, et la valeur $\frac{1}{n}$ deviendra $\frac{PL}{8}$ divisé par R, ou :

$$\frac{264}{500.000} = 0.000528 \text{ valeur } \frac{1}{n} \text{ nécessaire.}$$

Il nous suffit donc de chercher une section correspondant à cette valeur et nous trouvons tout calculé un bois de $0^m,10 \times 0,18$ dont la valeur est assez rapprochée 0,000540.

Un bois de $0,12 \times 0,15$ ayant pour valeur 0,000516 aurait plus d'avantage pour permettre les profils.

On remarquera que dans ces planchers, les solives se trouvent très rapprochées les unes des autres, mais cela est prudent car

Fig. 510 et 511. — Plafond en bois.

avec le bois on ne sait jamais où l'on va, sa résistance étant extrêmement variable suivant son essence, sa provenance, et aussi pouvonsnous dire, suivant son état de santé, car les bois sont souvent malades.

Dans notre exemple, les solives ont $0,14 \times 0,20$, plus fortes par conséquent qu'il serait nécessaire suivant le bref petit calcul ci-dessus. Mais il faut tenir compte que la solive, ou pièce de bois quelconque, calculée à plein équarrissage, ne se trouvera plus du tout dans les mêmes conditions, alors que par des profils quelquefois très mouvementés, on aura affaibli la pièce dans des proportions considérables.

Pour bien faire comprendre la vérité de ce que nous venons de dire nous allons examiner quelques sections de solives qui montreront la quantité de bois tombé et par conséquent ne travaillant pas, et nous serviront en même temps à donner différents profils.

Profils ou sections de solives. — Moins le profil est important et plus la solive, et généralement toute pièce, conserve ses facultés de résistance (fig. 512 et 513). Comme on le voit le profil n'est guère plus important qu'un chanfrein et affaiblit peu la pièce. Ce chanfrein est arrêté comme nous l'indiquons sur la vue latérale (fig. 513).

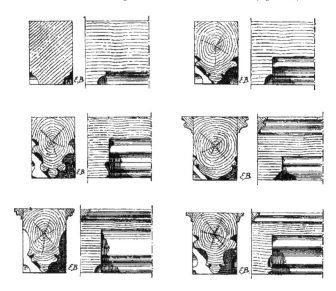

Fig. 512, 513, 514, 515, 516, 517, 518, 519, 520, 521, 522 et 523. — Solives.

Ces figures représentent à plus grande échelle les solives de notre exemple (fig. 510).

Les figures 514 et 515 montrent en coupe et vue de côté une solive moulurée et l'arrêt de cette moulure. On voit déjà ici quel affaiblissement occasionne le profil.

Plus encore la solive représentée (fig. 516 et 517) indique ce défaut, mais montre aussi combien ce riche profil concourt à la décoration.

Souvent, pour décorer les caissons allongés formés par le solivage, on vient ajouter à la partie haute de la solive et sous le plafond en planche un petit cadre mouluré coupé d'onglet pour permettre la formation des angles (fig. 518 et 519). Le profil indiqué ici, est non seulement d'un bon dessin mais encore plus favorable à la force de la solive qu'il entame relativement peu.

La figure 519, vue latérale, nous montre l'arrêt du profil et le retour du petit encadrement du caisson.

Un autre exemple de profil, comportant également le cadre du caisson, est donné (fig. 520 et 521). La figure 520 montre le profil de la solive et du cadre, et la figure 521 donne la vue latérale indiquant l'arrêt du profil.

Nous terminerons ces quelques exemples par les figures 522 et 523 qui donnent encore une variante de profil de solive et de profil d'arrêt.

Solives sur poutres. — Lorsque les portées dans œuvre sont trop considérables pour être franchies par les solives, on revient à une portée moindre de celles-ci en divisant la pièce où doit être établi le

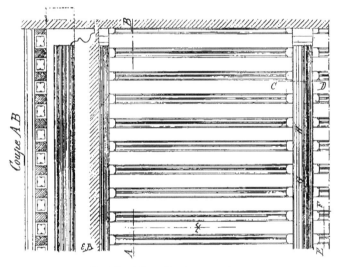

Fig. 524 et 525. — Plancher sur poutres.

plancher par des poutres maîtresses placées à environ trois ou quatre mètres de distance, et sur lesquelles viennent reposer les solives (fig. 524 et 525).

Notre figure 524 montre la disposition d'un plancher de ce genre. Les poutres, de section appropriée à la charge qu'elles sont appelées à porter, reposent en scellement dans le mur et sont en plus soulagées aux portées par des corbeaux en pierre dure engagés dans la maçonnerie comme on le voit (fig. 525, coupe AB).

Les profils de solives peuvent être quelconques, pris dans les modèles donnés (fig. 512 à 523) ou tout autre profil encore, tel par exemple celui que nous donnons ci-dessus (fig. 527).

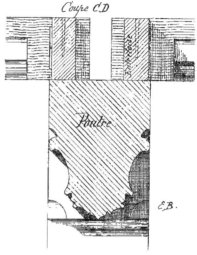

Coupe CD

Fig. 526.

Nous conseillons, pour la poutre, de procéder comme nous l'avons dit pour les solives, c'est-à-dire de faire un profil affaiblissant le moins possible la pièce. Cependant ou comprend que ce conseil n'est donné qu'en vue de réaliser une économie, car il sera toujours loisible de prendre un équarrissage assez fort pour que tous profils déduits, il reste encore assez de matière pour assurer la solidité indispensable.

La figure 526 donne un profil de poutre et montre les abouts des solives qui viennent reposer sur sa face supérieure. On y voit aussi les entretoises destinées à buter les solives et à les empêcher de se tordre ou de se contrarier de forme, comme cela arrive fréquemment.

Coupe EF.   Coupe GH.

Fig. 527.

La figure 527 nous montre dans la coupe EF un autre profil de solive, auquel nous faisons allusion plus haut, et la décoration des entretoises sur leur face vue, c'est-à-dire dans les caissons.

La coupe GH, elle, est faite près de l'axe longitudinal de la poutre en coupant les solives au droit de la face non vue des entretoises, ce qui permet de voir que les dites entretoises sont non seulement fixées par des chevilles obliques mais encore pénétrant dans des entailles biaises préalablement faites sur les solives.

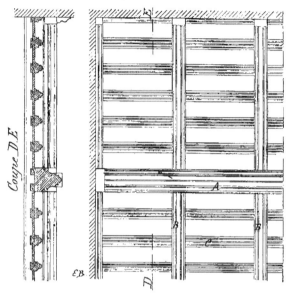

Fig. 528 et 529. — Plancher en bois sur poutres.

Lorsque les dimensions d'une salle, en longueur et en largeur sont trop considérable, son emploie le système suivant dont nous empruntons les éléments au maître Viollet-le-Duc (fig. 528 et 529).

La salle est recoupée en trois parties dans un sens par deux poutres principales A. Dans l'autre sens, quatre poutres secondaires B vien-

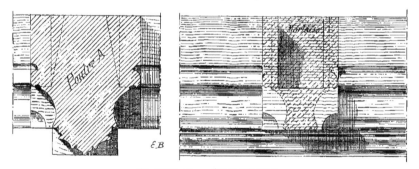

Fig. 530 et 531. — Poutre principale.

nent s'assembler à repos sur les premières, et des cours de solives C viennent s'assembler de même dans ces poutres B.

Voici (fig. 530 et 531) la section de la poutre A, avec les amorces des poutres B qui viennent s'assembler avec elle. La vue latérale (fig. 531) montre le repos préparé dans la poutre A pour recevoir la poutre B.

Pour être bien compris, nous donnons encore (fig. 532 et 533) l'as-

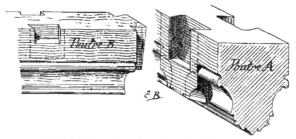

Fig. 532 et 533. — Repos des poutres B sur les poutres A.

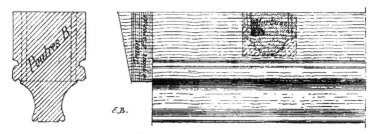

Fig. 534 et 535. — Poutre B.

semblage des poutres secondaires sur les poutres principales. Nous représentons ces deux poutres en perspective et prêtes à être assemblées l'une sur l'autre.

Les figures 534 et 535 nous montrent :

1° La figure 534, la section des poutres B.

2° La figure 535 la vue latérale de cette même poutre avec son tenon à queue d'aronde, — ou d'hironde, — et la mortaise assurant le repos d'une solive C.

Fig. 536 et 537. — Solive.

Enfin (fig. 536 et 537) nous donnons les deux vues principales d'une solive. La figure 536 est la section d'une solive C, à la partie supérieure de laquelle nous avons indiqué le moyen de fixation du petit plancher formant le fond des caissons. La figure 537 représente la vue latérale de cette solive, avec son tenon à queue et la tringle à double feuillure qui doit fixer le plafond en planches.

Mais tous ces beaux planchers en bois massifs se font rarement maintenant, ils ne sont pas assez économiques, et puis, avouons-le, nos bois ne sont que rarement de qualité suffisante. Si à cela nous ajoutons que nous disposons de matériaux nous permettant de construire à meilleur marché et avec en même temps plus de sécurité, on comprendra l'abandon des anciens procédés, si beaux soient-ils.

On a fait dans cet ordre d'idées des imitations de poutres et solives apparentes qui ne sont plus de la charpenterie mais bien de la menuiserie.

Ce sont des caissons creux, variant de dimensions suivant les pièces qu'ils représentent : poutres ou solives simplement appliqués sur un plafond de plancher en fer hourdé en plâtre.

Ce procédé permet de ne tenir aucun compte des nécessités de la construction, on peut faire ce qu'on veut et se permettre les assemblages les plus invraisemblables.

Ce n'est qu'une décoration, et comme le bois, capricieux comme nous l'avons dit, joue dans les parties pleines comme dans les assemblages, on est obligé de recourir aux enduits pour boucher les fentes et à la peinture pour donner au sapin employé presque toujours, l'apparence de chêne ou de toute autre essence.

Il nous paraît bien plus rationnel, dans ces conditions, d'employer le staff, comme cela se fait presque partout maintenant. Il se tourmente fort peu, ne se fend pas, se pose avec la plus grande facilité et est plus économique surtout lorsqu'il y a de nombreuses pièces semblables qui alors sont le produit du même moule, et c'est le moule surtout qui coûte cher.

Ceci dit, revenons à nos imitations de planchers.

Celui que nous représentons (fig. 538 et 539), est d'un fort bon effet, mais serait irréalisable si on ne disposait pas d'un plancher plafonné pour le recevoir.

Il est composé, comme on le voit, de quatre poutres s'entrecroisant et sur lesquelles viennent buter les solives. Cela donne sur chaque face de la pièce une série de caissons dont on voit la coupe sur la figure 539, et dans les angles un croisillonnement orné d'une rosace à l'intersection.

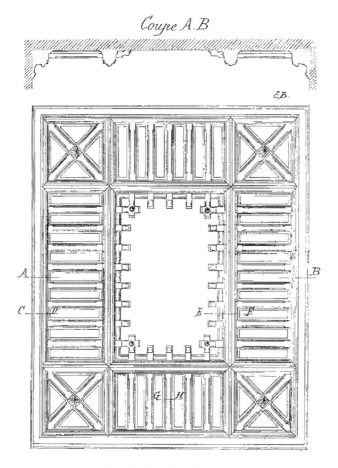

Fig. 538 et 539. — Plafonds en bois.

La figure 540, nous montre la corniche, caisson donnant en section la moitié d'une poutre plus une partie de profil, une frise et l'astragale.

Ce caisson est maintenu à angle droit par des équerres disposées assez rapprochées, suivant les forces des bois et les dangers de déversement qu'ils présentent.

La section des poutres est représentée (fig. 541), nous y avons indiqué
les profils des encadrements qui existent dans les caissons de plafond

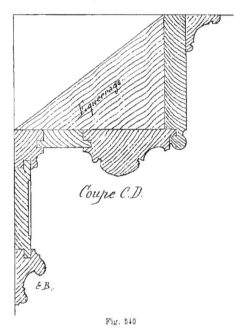

Coupe C.D.

Fig. 540

Coupe E.F.

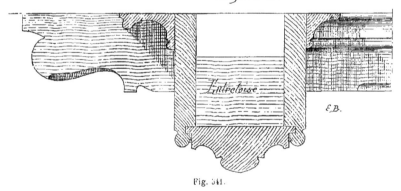

Fig. 541.

et aussi dans le plafond central, de même les corbeaux consoles qui den-
tellent cette dernière partie du plafond.

Les solives sont, comme les poutres composées de trois pièces, deux

côtés et un fond (fig. 542), et accompagnées des profils formant encadrement des fonds de caissons.

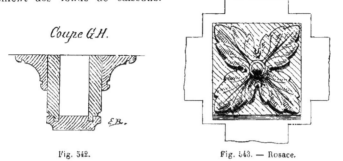

Coupe GH.

Fig. 542.

Fig. 543. — Rosace.

Enfin, la figure 543 montre la rosace qui orne l'intersection des croi-
sillons dans les angles du plafond.

ESCALIERS

Les escaliers font plutôt partie de la charpente et nous entendons ne pas traiter ici ce sujet d'une manière complète, mais, considérant que les éléments principaux et même quelques ensembles pourront renseigner nos lecteurs, et leur être parfois utiles nous consacrons quelques pages à cette spécialité.

Plan incliné. — Le plan incliné est le moyen primordial employé pour passer d'un niveau à un autre, malheureusement la faiblesse de pente qu'on est obligé de lui donner pour éviter le glissement du pied

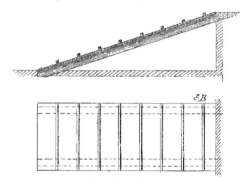

Fig. 544 et 545. — Plan incliné.

en fait un objet fort encombrant et pratique seulement pour de petites différences de hauteur. Aussi n'est-il généralement employé que pour un service provisoire, dans les chantiers de construction, par exemple.

En voici un modèle (fig. 544 et 545), composé de deux pièces parallèles sur lesquelles on cloue des planches et dont la surface ainsi obtenue est garnie de tasseaux pour éviter le glissement du pied.

La pente du plan incliné ne doit jamais être, au grand maximum, supérieure à un sur deux, c'est-à-dire que la différence de niveau des deux plans doit toujours être au moins doublée comme étendue horizontale du plan, et nous conseillons de ne jamais atteindre cette limite qui est déjà dangereuse et au delà de laquelle les accidents sont certains.

Lorsque le plan incliné est de faible largeur, on peut se contenter de

Fig. 546. — Plan incliné.

réunir les deux longerons par des planches très larges, faisant recouvrement l'une sur l'autre (fig. 546). On obtient ainsi une sorte d'escalier extrêmement doux dont les marches sont constituées par la seule superposition des planches.

Échelles. — Une échelle, en raison de sa quasi verticalité, ne nécessite qu'un espace très restreint. C'est une sorte d'escalier portatif composé de deux montants réunis entre eux par une série de barres transversales appelées échelons et placées à des distances égales (fig. 547). Les barreaux ou échelons se trouvent placés à une distance variant de $0^m,25$ à $0^m,32$ d'axe en axe, mais cette distance est toujours uniforme sur la même échelle.

Fig. 547. — Echelle.

Les échelles sont surtout utiles sur les chantiers ; elles sont simples ou doubles. Ces dernières sont surtout employées par les peintres, et sont formées de deux échelles s'appuyant, l'une contre l'autre à leur partie supérieure, où elles sont réunies par un boulon qui traverse les quatre montants. Dans ces échelles, les montants ne sont pas parallèles, assez rapprochés en haut, il s'écartent en allant vers le bas, ce qui donne au système d'échelle une base plus large qui assure la stabilité.

A mentionner encore les échelles à coulisse se doublant de hauteur par glissement l'une contre l'autre, manœuvrées par une corde et fixées à la hauteur voulue par des crochets.

Échelle de meunier. — C'est un véritable escalier droit auquel il ne manque que des contremarches, et qui sert généralement à monter au grenier des habitations (fig. 548). Les montants sont deux larges et

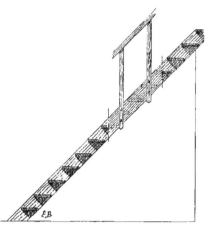

fortes planches, ou limons, posés sur champ et suivant l'inclinaison convenable, — il est bon de ne pas dépasser 45° sur l'horizontale, — et dans lesquels s'assemblent à tenons et mortaises les marches, simples planches dont l'épaisseur varie avec la largeur de l'échelle, c'est-à-dire suivant la portée qu'elles sont appelées à franchir.

Isolée, l'échelle de meunier doit être munie d'une rampe au moins d'un côté. Nous en donnons une indi-

Fig. 548. — Échelle de meunier.

cation sur la figure 548, et on peut conseiller d'en mettre toujours une et même deux si on considère que ces montées sont très raides et que souvent on les gravit avec des charges.

La figure 549, montre une partie de cette échelle en élévation.

Nous avons dit que les planches formant les

Fig. 349. — Echelle de meunier.   Fig. 550 et 551. — Assemblages de marches.

marches sont assemblées sur les limons à tenon et mortaise, mais on peut encore procéder à une simple entaille de repos (fig. 550), mais il faut alors, pour empêcher l'écartement possible des limons, ce qui produirait la chute des marches, maintenir serrés les limons à l'aide de boulons en comprimant les marches.

Un autre moyen, quelquefois employé, consiste à clouer sur les limons des tasseaux qui serviront de repos aux marches (fig. 551). Le tasseau bien cloué, on pourra clouer la marche en bout en traversant

le limon, et de plus, clouer la marche sur le tasseau. La marche ainsi
assemblée sert d'entretoise.

Dimensions des marches. — Dans la figure 552, nous indiquons par
ab, la partie horizontale de la marche, soit largeur *l*; par des lettres
cb, la partie verticale de la même marche, soit hauteur *h*.

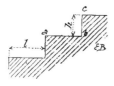

Fig. 552. — Marches.

La largeur *l* est appelée giron, la hauteur *h*
se nomme contremarche.

Une bonne hauteur moyenne est de $0^m,15$ à
$0^m,16$, et la largeur varie de $0^m,24$ à $0^m,32$ suivant l'emplacement dont on dispose et la hauteur à monter.

Le pas moyen de l'homme étant environ de
$0^m,64$, on est arrivé par expérience à la formule $2\,h + l = 0,64$.

Si la largeur est nulle, comme c'est le cas pour une échelle fixe
posée verticalement, on a, $2\,h + 0 = 0,30$ ou $0,32$ suivant qu'on adopte
la hauteur de $0^m,15$ ou celle de $0^m,16$.

On voit, en appliquant la formule $2\,h + l = 0,64$ que plus *h* diminue
plus *l* augmente, et que si l'on *h* = 0 on obtient *l* = 0,64, pas moyen
de l'homme.

Cette formule qui donne un bon résultat, est rarement applicable
dans nos habitations où la place restreinte nous oblige à ne sacrifier à
l'escalier qu'une surface minime et parfois même insuffisante. Aussi
est-on amené parfois à faire des marches de 0^m, 23 de largeur ou giron
et à porter à $0^m,17$ la hauteur de la marche. Un escalier ainsi fait est
du reste très fatigant.

Giron. — Le giron est la largeur de la marche à l'endroit où se pose
le pied pour gravir les degrés. Pour un escalier droit, dont les marches
sont parallèles, le giron ou largeur est constant sur toute la longueur
ou emmarchement. Mais il n'en est pas de même dans les escaliers sur
plan courbe où les marches sont balancées, c'est-à-dire sont étroites
près du limon qui forme le jour d'escalier, et vont en s'élargissant jusqu'au limon extérieur ou au mur de la cage, suivant que l'escalier est
isolé ou accolé contre un mur.

Dans ce cas de marches balancées, le giron, c'est-à-dire la largeur
de la marche, doit être pris à $0^m,50$ de la rampe, parce que c'est à
cette distance qu'une personne montant en s'appuyant sur la rampe
posera son pied.

Il résulte de cela que les marches ont parfois, près du mur une largeur considérable.

Marches pleines. — Autrefois, on faisait souvent les marches mas-
sives, et lorsque l'escalier était compris entre deux murs, ces marches
allaient en scellement et rendaient les limons inutiles. Ce procédé était

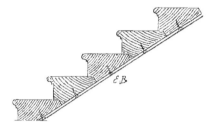

Fig. 553. — Marches pleines.

bon pour des marches en pierres qui sont imputrescibles, et dont les
scellements n'affaiblissaient pas la maçonnerie, mais avec le bois, il
n'est pas à recommander (fig. 553).

Marches en bois et maçonnerie. — Ce genre de marche a été très
employé jadis et on en rencontre encore dans beaucoup d'anciennes
maisons (fig. 554). Il consistait en des pièces de bois de faible largeur

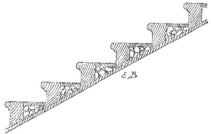

Fig. 554. — Marches maçonnées.

comprenant le nez de marche et le surplus formé par une maçonnerie
généralement recouverte d'un carrelage. Le dessus de la marche pré-
sentait donc: une partie en bois sur le devant, et le surplus en carrelage. Ces escaliers étaient plafonnés.

Escaliers à marches apparentes en dessous. — Ces escaliers peuvent être faits à limons à la française, c'est-à-dire les marches et contre-marches, portant dans des mortaises creusées dans le limon ; ou, à l'anglaise, c'est-à-dire les marches reposant sur un limon découpé à crémaillère.

La figure 555 nous montre des marches assemblées à mortaises sur

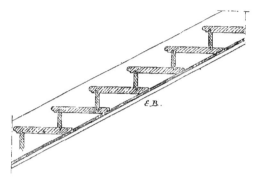

Fig. 555. — Escalier tout bois.

le limon. Les contremarches sont embrevées haut et bas sur le dessous et le dessus des marches.

Quand il s'agit d'un escalier apparent en dessous, marches et contremarches sont à deux parements.

Dans notre dessin, il n'en est pas ainsi, le dessous est plafonné en planches assemblées à rainures et languettes. Ce mode de faire ne convient qu'aux escaliers droits.

Nez-de-marches. — Suivant la longueur de l'emmarchement, les marches se font en bois variant de 0ᵐ,034 à 0ᵐ,054 d'épaisseur et plus.

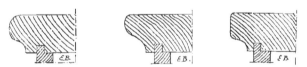

Fig. 556, 557 et 558. — Nez-de-marches.

Ces marches font saillie sur la contremarche de 0ᵐ,030 à 0ᵐ,045 et cette saillie comporte, soit simplement les angles arrondis, soit un véritable profil.

En dehors des angles arrondis, le plus simple profil est dans le genre de nos figures 556, 557 et 558.

Un peu plus recherchés sont les profils, figures 559, 560 et 561.

Enfin, bien que cela soit inutile, puisque cette partie de la marche est peu vue, et souvent presque entièrement recouverte par des tapis,

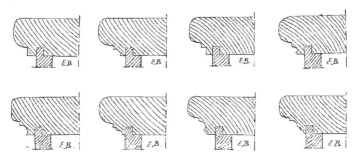

Fig. 559, 560, 561, 562, 563, 564, 565 et 566. — Nez-de-marches.

on fait des profils comprenant plusieurs corps de moulures (fig. 562, 563, 564, 565 et 566).

Escalier. — En application des quelques notes qui précèdent, voici un petit escalier que dans beaucoup de cas le menuisier peut être appelé à construire (fig. 567 et 568).

Il s'agit simplement d'un escalier droit dont les limons reposent, d'une part sur plateaux montants, et de l'autre sur la solive palière.

Ce genre de construction sur poteau a l'inconvénient, lorsque l'escalier est étroit, de faire obstacle au passage facile des objets encombrants, meubles ou autres, mais d'autre part il assure une grande solidité et rend impossible toute déformation ou baissement de l'escalier.

La figure 567 nous présente une élévation, le mur *ab* supposé enlevé. Le plan figure 568 montre la disposition des montées et des paliers de repos.

Les marches sont apparentes en dessous et décorées de profils comme le montre la figure 569.

La figure 570 indique le repos du limon sur le poteau ainsi que le mode de support du palier.

Le limon, mouluré haut et bas est représenté (fig. 571).

Enfin, la section d'un poteau est donnée (fig. 572), et indique les petits profils qui décorent les angles.

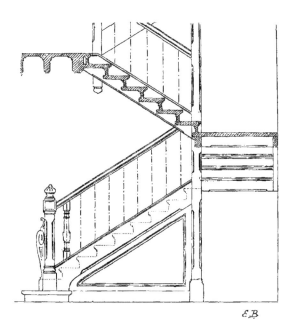

E.B

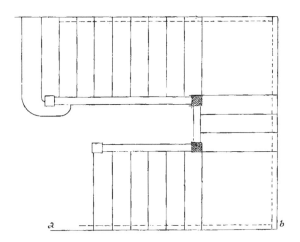

Fig. 567 et 568. — Escalier, Élévation et Plan.

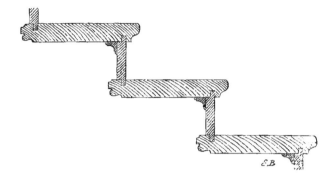

Fig. 569. — Coupe sur le giron.

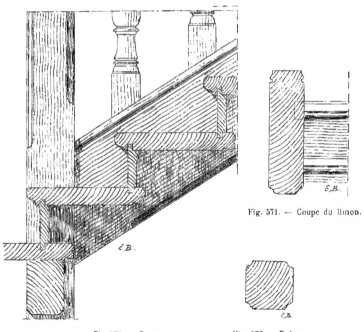

Fig. 571. — Coupe du limon.

Fig. 570. — Coupe.   Fig. 572. — Poteau.

Grand escalier. — Cet escalier est conçu suivant le même principe que le précédent, il est entièrement soulagé par des poteaux qui s'opposent à toute déformation du limon.

Dans le cas particulier, cet escalier ne comporte qu'une montée de rez-de-chaussée au premier, mais on se rend facilement compte que rien

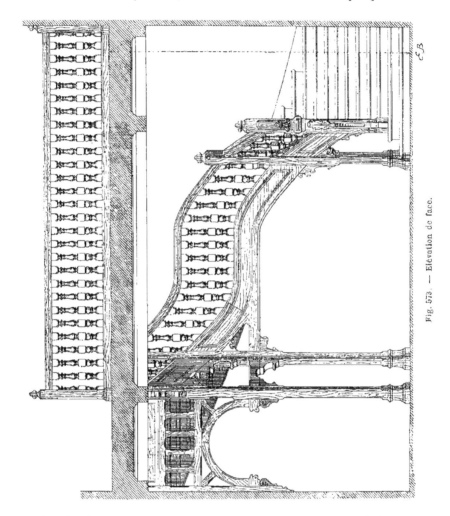

Fig. 573. — Elévation de face.

n'est plus facile que de continuer les poteaux et de venir asseoir dessus des volées successives.

La figure 573 nous montre l'ensemble de l'escalier vu de face où l'on voit la disposition des poteaux des limons, des balustrades et des divers autres détails.

La figure 574 est la vue latérale. **Elle montre le départ vu de côté,** avec le pilastre terminant la rampe.

Fig. 574. — Vue latérale.

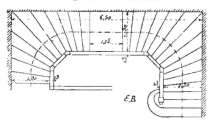

Fig. 575. — Plan de l'escalier.

Voici maintenant le plan (fig. 575), avec, à droite le départ et la première volée, puis un palier de repos au milieu, car il ne faut pas avoir, dans un escalier, plus de vingt marches consécutives, autrement il serait fatigant à monter. Enfin, à gauche, la volée d'arrivée au premier.

Cet escalier est apparent en dessous comme l'indique la figure 576.

Les figures 577 et 578 donnent l'élévation de la tête du pilastre et sa section vers le milieu.

Un balustre est représenté (fig. 579), pris dans un bois de

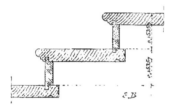

Fig. 576. — Coupe des marches.

Fig. 577 et 578. — Pilastre de départ.

Fig. 579. — Balustre.

$0^m,10 \times 0^m,10$, il se compose de parties tournées séparées par des parties carrées.

La figure 580 indique la section du limon et ses profils.

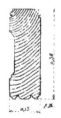

Fig. 580 — Limon.

La figure 581 donne la section de la main courante.

La hauteur à monter est de $4^m,30$ par 28 marches de $0^m,15357$, avec $0^m,285$ de largeur mesurée sur un giron pris à $0^m,50$ de l'intérieur du limon.

Nous venons de dire plus haut que l'expérience avait démontré qu'il ne fallait pas disposer plus de 18 à 20 marches consécutives sans couper par un palier de repos. Dans cet escalier, le palier fait la seizième marche, et après ce palier de repos, il ne reste plus que douze marches à gravir.

Le limon, dont la section normale, c'est-à-dire perpendiculaire à la pente, est de $0^m,130 \times 0^m,380$, est établi suivant un plan polygonal, on a ainsi évité les débillardements causant des pertes de bois assez consi-

Fig. 581. — Main courante.

dérables, et rendu le travail sensiblement plus simple. Ce limon est refouillé d'une table en creux profilée, et orné de profils haut et bas sur les arêtes.

Les poteaux sont pris dans du bois de $0^m,160 \times 0^m,160$ et leur section présente des faces propres à recevoir les grands limons et les limons de pans coupés (fig. 582).

Aux portées des limons, des consoles viennent amortir lesdits limons sur les poteaux et ces derniers, en reposant sur le parquet, se terminent par une base représentée (fig. 583).

Fig. 582. — Coupe d'un poteau.

Fig. 583. — Base de poteau.

Les balustres sont pris dans un bois de $0^m,100 \times 0^m,100$ et sont entaillés en bas dans le limon et en haut dans la main courante.

Le profil de la main courante est obtenu dans un bois de $0^m,110 \times 0^m,130$.

Les marches sont en bois de $0^m,050$ d'épaisseur et les contremarches en $0^m,025$. Elles sont rabottées sur toutes faces et garnies de profils, comme il est indispensable pour un escalier restant apparent en dessous.

Tout l'ensemble est en chêne de choix.

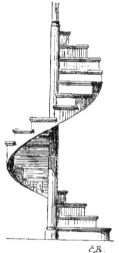

Escalier en hélice. — On appelle ce genre d'escalier, en hélice, à vis, escargot et colimaçon. Le mot hélice est celui qui nous paraît le mieux convenir.

Ces escaliers se font parfois à jour, c'est-à-dire avec limon intérieur et limon extérieur, ou encore avec un seul limon extérieur et un noyau plein au centre.

C'est de ce dernier genre seulement que nous nous occuperons ici.

On en fait d'extrêmement petits qui n'ont même que $0^m,50$ d'emmarchement, ce qui donne un diamètre total, compris limons et noyau, de $1^m,25$ environ. On voit que dans ces conditions on peut placer un tel escalier à peu près partout.

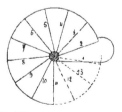

Fig. 584 et 585. — Escalier en hélice.

Mais il ne faut pas compter le minimum de $0^m,24$ de largeur et $0^m,16$ de hauteur que nous avons indiqué précédemment, et il faut surtout se préoccuper de l'échappée, c'est-à-dire de la hauteur nécessaire pour se tenir debout dans un endroit quelconque de l'escalier et notamment au départ (fig. 584 et 585).

Sans entrer dans de longs détails, puisque ce n'est qu'incidemment que nous nous occupons ici d'escalier, nous dirons seulement qu'on trouve toujours le maximum possible de hauteur d'échappée en divisant le plan de l'escalier en 13 secteurs ou marches comme nous l'indiquons figure 585.

Dans un escalier à noyau plein de petit diamètre, la hauteur des

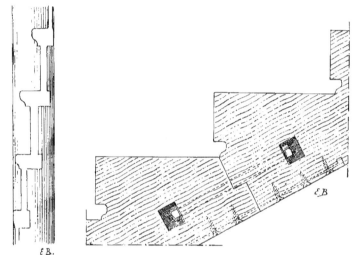

Fig. 586. — Noyau.   Fig. 587. — Assemblage de deux parties de limon.

marches ne sera pas inférieure à $0^m,18$, dimension absolument nécessaire pour trouver la hauteur de passage.

Dans l'escalier en hélice à jour, on a beaucoup plus de développement au giron et on peut traiter les marches suivant ce que nous avons dit en commençant à traiter ce sujet.

Le noyau plein est un bois rond d'environ $0^m,12$ de diamètre qui porte des mortaises disposées en hélice (fig. 586), et dans lesquelles viennent s'engager les marches et les contremarches.

Le limon est particulièrement intéressant, il a une forme contournée peu commode à obtenir autrement que par débillardement, et de petites parties de limon exigeraient d'énormes pièces de bois. Cette forme, dit M. Cloquet, « est déterminée par deux cylindres concentriques à jour, qui forment ses flancs, et par deux hélicoïdes parallèles qui constituent son champ supérieur et inférieur ».

« Ce limon est formé de pièces assemblées suivant une ligne brisée, — semblable à l'enture à mi-bois, — comprenant une portion intermédiaire qui appartient à un hélicoïde parallèle aux hélicoïdes du champ, et des faces normales aux hélices formant l'axe des deux faces rampantes ; enfin les deux pièces sont serrées par un boulon à tête noyée », procédé de serrage commun à tous les limons en bois, et que nous donnons (fig. 587).

Les marches de ces escaliers se font en bois de $0^m,034$ à $0^m,041$ suivant l'emmarchement, et les contremarches en bois de $0^m,018$ à $0^m,027$.

Escalier à marches balancées. — Nous terminerons cette rapide excursion dans le domaine de la charpente par un escalier à marches balancées (fig. 588 et 589). Nous n'exposerons pas ici les diverses méthodes de balancement, que nous nous réservons de traiter autre part, disant seulement, que le giron restant constant, il faut arriver à conserver, dans la mesure du possible, une certaine ressemblance entre les marches droites et les marches irrégulières, surtout au point où elles doivent se fondre. Les méthodes employées donnent presque toujours un résultat, mais presque toujours aussi on est obligé de corriger par tâtonnement pour obtenir une solution plus parfaite.

La figure 588, nous fait voir l'élévation de l'escalier ; généralement, dans les maisons, le départ est fait au rez-de-chaussée par une ou deux marches en pierre, puis viennent les marches en chêne de $0^m,050$ avec contremarches de $0^m,025$. Le limon a $0^m,080$ d'épaisseur et est composé de parties, droites ou débillardées, suivant la place qu'elles occupent, et assemblées dans le genre de notre dessin (fig. 587).

Au droit de chaque assemblage, en plus du boulon de serrage qui seul serait insuffisant, on place à cheval sur chaque joint une plate-bande à talons entaillée dans le limon et fixée par de fortes vis.

La force de la plate-bande varie naturellement avec les efforts qui peuvent être imposés au limon, mais dont les dimensions moyennes sont $0^m,045 \times 0^m,050$ de largeur sur $0^m,009$ à $0^m,010$ d'épaisseur, et la longueur au moins $0^m,500$.

Sur notre plan, figure 589, on voit que le jour d'escalier est relativement considérable ; nous avions l'avantage de n'être gêné en rien, travaillant seulement sur le papier.

Le grand jour laissé, quand on peut le faire, permet une foulée meilleure, et aussi réserve la place à une cabine d'ascenseur.

Pour finir, nous donnerons un assez curieux limon que nous avons relevé sur un escalier d'une maison des environs de Paris.

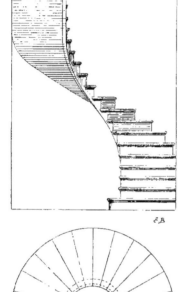

Il est composé d'autant de pièces qu'il y a de marches et naturellement ces pièces varient de largeur suivant que ces dernières sont plus ou moins grandes au collet (fig. 590). L'assemblage de ces éléments de limon, propres à former des courbes quelconques, est fait au moyen de tenon double rapporté engagé dans des mortaises préparées dans les éléments de limon, et chevillé.

Tout ce système, très simple

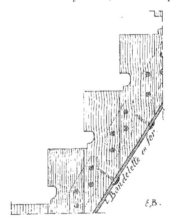

Fig. 588 et 589. — Escalier à marches balancées.   Fig. 590. — Limon composé.

mais un peu coûteux, ne tiendrait pas si on n'avait la précaution de réunir par-dessous toutes les parties formant le limon au moyen d'une bandelette en fer vissée sur chacune de ces parties. Cette bandelette est débillardée sur plat au marteau suivant la forme même du limon.

A notre avis, puisque la serrurerie semble être obligée d'intervenir, il nous semble qu'il serait plus simple, dans l'emploi de ce limon par parties, d'assembler seulement à rainure et languette les éléments entre eux, ou, si l'on préfère, de remplacer les tenons et mortaises par une autre bandelette débillardée sur champ et fixée à l'intérieur du limon par des vis.

La tête des éléments de limon serait dans tous les cas maintenue par les marches agissant comme des entretoises.

PILASTRES DE RAMPES

Les pilastres sont de départ ou intermédiaires. Les premiers se placent au commencement de la rampe, et les seconds à l'intersection des limons ou à l'arrivée aux paliers.

Pilastres de départ. — Tout naturellement le dessin d'un pilastre doit être conçu pour s'harmoniser le plus parfaitement possible avec la rampe dont il forme le commencement.

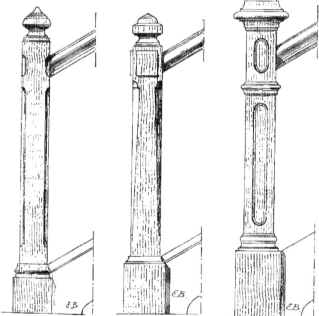

Fig. 591, 592 et 593. — Pilastres de départ.

Notre premier exemple (fig. 591) est aussi simple qu'il se peut faire.

Pris dans un bois de $0^m,120 \times 0^m,120$, il a pour toute décoration une tête profilée, des chanfreins arrêtés sur les angles et une base composée de trois pièces moulurées assemblées d'onglet.

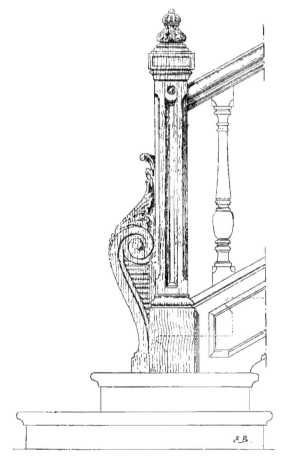

Fig. 594. — Pilastre de départ.

Le pilastre en bois peut être fixé sur la marche en pierre par un fort goujon central en fer ou par trois tiges plates également scellées et que le socle vient dissimuler. Il est de plus assemblé avec le limon et avec la main courante.

Un pilastre du même genre est représenté (fig. 592). Légèrement plus ouvragé, il est orné de chanfreins adoucis qui lui donnent à la

partie supérieure, une section presque octogonale, alors qu'en bas la
section reste carrée. Deux petites tables, à la hauteur de la rampe, com-
plètent la décoration.

Le pilastre (fig. 593) se distingue des précédents par la tête en

Fig. 593. — Pilastre de départ.

saillie qui n'est pas prise dans le corps du pilastre, mais rapportée ainsi
que l'astragale et la base.

Sur les quatre faces, des tables défoncées et bordées de légers profils
décorent ce pilastre.

Avec la figure 594 nous donnons un pilastre plus riche où un peu
de sculpture vient mettre sa note ornementale.

La console d'amortissement est ici renversée afin d'occuper peu de place sur la marche en pierre.

La tête et le socle peuvent être, soit rapportés, soit pris dans une pièce plus forte que le corps du pilastre. La décoration de ce corps est faite de chanfreins profilés et de tables défoncées.

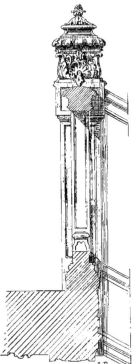

La console, préparée à part, est rapportée sur le pilastre.

Sur cette figure aussi, nous donnons l'amorce du limon et de la rampe; nous y avons ajouté un balustre à titre d'exemple.

On fait aussi des pilastres d'une grande richesse. En voici un exemple (fig. 595), que nous empruntons au *Recueil d'Architecture*, de Wulliam et Farge. Ce pilastre, comme le montre le dessin, est établi sur plan courbe et repose sur le limon terminé, par une volute.

On voit sur cette figure la décoration du limon ainsi que le genre de balustre qui a été adopté pour constituer la rampe.

Pilastres intermédiaires. — Ceux-ci se placent à l'arrivée sur le palier. Suivant l'importance de l'escalier et la richesse de la décoration, les pilastres de départ donnés plus haut peuvent servir à composer des pilastres intermédiaires. Ces derniers se placent sur la solive palière et sont aussi assemblés avec le limon et la rampe.

Fig. 596. — Pilastre intermédiaire.

Notre figure 596 est également empruntée au *Recueil d'Architecture* et fait partie du même escalier que le pilastre du départ (fig. 595).

En coupe, on voit la section de la main courante.

BALUSTRES DE RAMPES

Un balustre est une sorte de petite colonnette, qui reproduite un

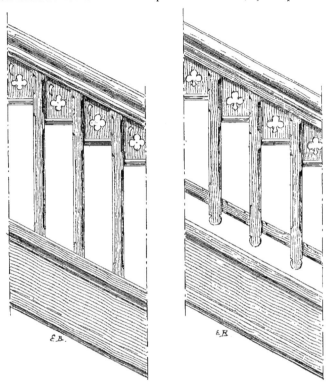

Fig. 597 et 598. — Balustres.

certain nombre de fois à faible distance, forme une suite couronnée par une tablette et qu'on nomme balustrade.

Par extension, on a donné ce nom de balustre aux éléments en bois verticaux qui forment une rampe, un balcon, une balustrade, sans plus tenir compte si l'objet est tourné ou de section carrée.

Balustres de section carrée. — On peut faire ces balustres en les pre-

Fig. 599 et 600. — Balustres.

nant simplement dans un bois de 0ᵐ,060 à 0ᵐ,08 de côté, chanfreiner les quatre angles avec arrêts, et assembler par mortaise dans le limon et dans la main courante.

La figure 597 est de ce genre très simple. Nous y avons seulement ajouté, par le haut, un petit panneau ajouré qui garnit, et concourt à équerrer la rampe ou le balcon.

Dans le même ordre d'idées, la figure 598 nous montre les mêmes montants que le précédent modèle, mais assemblés à mi-bois par le bas sur une traverse.

Il faut, dans ce cas, se préoccuper d'un appui pour cette traverse et on y arrive en mettant de distance en distance un montant plus fort que les balustres, qui est assemblé avec le limon et soutient la main courante.

On fait aussi ces balustres plus ornés, avec profils et canaux, dans

Fig. 601 et 602. — Balustres.

le genre indiqué (fig. 599). Ce modèle est pris dans une partie en palier ou un balcon, mais peut aussi être utilisé dans une partie rampante, il suffit pour cela de donner aux extrémités la coupe nécessaire.

La figure 600 nous montre un balustre d'une forme plus riche prise dans un gros bois de $0^m,150 \times 0^m,150$. Il comporte un profil très accentué et est garni de chanfreins de défonçage et de bague.

Avec la figure 601 nous rencontrons un peu de sculpture prise dans l'épaisseur même du défonçage. Le profil en est très sobre, et comme les précédents, ces balustres pénètrent dans le limon et dans la main courante pour assurer un solide assemblage.

D'un profil plus cherché est l'exemple donné (fig. 602) qui comporte en plus des profils, des canaux et des godrons. Nous avons reproduit ce modèle tel que nous le possédions, mais nous appelons l'attention sur la mesquinerie de la partie basse, l'ensemble gagnerait beaucoup

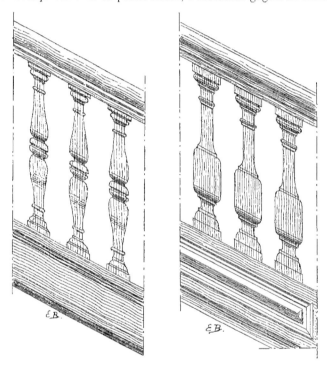

Fig. 603 et 604. — Balustres au rampant.

par l'adjonction dans cette base de profils s'harmonisant mieux avec ceux du corps supérieur.

On a souvent essayé de mettre les profils de balustres parallèles à la pente. C'est ici affaire de goût et nous nous garderons bien de discuter, quelle que puisse être notre préférence, et nous nous bornerons à donner des exemples.

La figure 603 montre le résultat de cette manière de faire.

Pour tracer ces balustres, comme pour tout dessin à mettre au rampant, lorsqu'on n'a pas à sa disposition un appareil à déplacement

parallèle, il faut tracer parallèlement au rampant de nombreuses lignes
plus ou moins rapprochées, et faire la même préparation sur un profil
établi normalement. Puis, sur le balustre droit et sur un balustre rampant mener des verticales aussi rapprochées que la délicatesse du profil
peut le rendre nécessaire.

Fig. 603 et 606. — Balustres ronds.

Il ne reste plus alors qu'à prendre la hauteur des intersections des
lignes verticales et horizontales, et reporter ces hauteurs sur les lignes
correspondantes du profil au rampant.

On obtient ainsi une série de points qu'il suffit de réunir par des
lignes pour avoir le profil au rampant cherché.

La figure 604 est un autre balustre suivant également la pente du
limon. Il est de forme différente, alors que celui figure 603 est symétrique de chaque côté du milieu de sa longueur, celui représenté
figure 604 a bien la forme du balustre proprement dit.

Nous devons noter que dans les constructions simples on fait parfois ces balustres, droits ou rampants, avec de simples planches et ne subsistent alors que les deux profils latéraux.

Parfois aussi on emploie des bois plus épais et tout en conservant aux profils latéraux toute leur ampleur, on fait sur les deux autres faces des profils camardés, sorte de bas-relief qui, dans une certaine mesure, donne l'illusion d'un balustre à section carrée.

Balustres ronds. — Ce genre de balustres est plus vrai puisqu'il se

Fig. 607 et 608. — Balustres ronds.

rapproche davantage de la colonnette. On en fait qui sont tout simplement tournés avec chapiteau et piédouche carrés. Ils peuvent comporter bagues et astragales tournées comme le fût.

Notre figure 605 peut servir en le simplifiant à faire le balustre dont nous venons de parler.

Pour lui, il est tourné et sculpté comme le montre notre dessin.

Pour éviter l'emploi de bois de fort échantillon on peut trouver les feuilles qui le décorent en creusant dans la panse, cela procurerait une petite économie.

La figure 606 représente un fort balustre massif pouvant convenir à un escalier ou à un balcon de grandes dimensions.

Disons ici que dans le choix d'un balustre, il faut non seulement tenir compte du style, mais encore de l'importance du milieu où l'ouvrage dont il fait partie se trouvera placé.

Les dimensions de grosseur doivent naturellement être en rapport avec la force du limon et de la main courante qui sont eux-mêmes déterminées par les proportions plus ou moins importantes de l'ouvrage.

La figure 607 indique un autre modèle de balustre entièrement tourné, sauf le chapiteau et le piédouche. Son profil très étudié produit en exécution un très bon effet.

Les balustres représentés (fig. 608) comprenant le chapiteau, la panse et le piédouche, sont réduits de hauteur et complétés par une série d'arcades placées directement sous la main courante.

Bien que la main courante, bien réunie aux arcades, forme une bonne traverse maintenant la tête des balustres, on fera bien de soigner l'assemblage

Fig. 609. — Balustres ronds.

de ces derniers sur le limon, chacun de ces assemblages contribuera à la solidité générale.

Voici encore un modèle pouvant convenir à un ouvrage important. Il comprend aussi le piédouche, la panse, le col et le chapiteau comme celui qui précède, mais il est de plus orné de feuilles et de godrons allongés (fig. 609).

BALUSTRADES

Une balustrade est une suite de balustres, couronnée d'une tablette ; c'est surtout une barrière à hauteur d'appui qui sert de garde-corps, ou de garde-fou comme on voudra, qui sert à clore un balcon, une terrasse, une passerelle, et généralement tout endroit abrupt ou escarpé

Fig. 610 et 611. — Balustrade.

d'une habitation pour éviter les chutes, car on dit aussi balustrade pleine, balustrade ajourée, etc., or ces balustrades pleines ne comportent pas de balustres, d'où cependant semble venir le mot balustrade.

Simplement traitée, une balustrade peut être faite de petits potelets carrés assemblés dans des traverses horizontales, et avec poteaux scellés et solides, de distance en distance (fig. 610, 611). Dans cet exemple, le poteau a 0^m,120 × 0^m,120 ; les montants, ou balustres 0^m,080 × 0^m,080 ; la main courante 0^m,080 × 0^m,110, et la semelle 0^m,070 × 0^m,110.

La figure 111 est la coupe de cette balustrade.

Tous les bois sont travaillés de la manière suivante : la main courante et la semelle sont profilées comme il est indiqué figure 111 ; les montants sont simplement ornés de chanfreins arrêtés, et le poteau

Fig. 612, 613, 614 et 615. — Balustrades.

est arrondi en courbe par le haut et à chanfreins arrêtés sur les quatre angles.

Par extension, on donne encore les noms de balustrades à des barrières composées de montants et traverses avec remplissage en bois découpé. Certaines sont garnies de balustres plats découpés dans de la planche (fig. 612 et 613). Comme on le voit les balustres sont ici imités par deux profils latéraux seulement et s'assemblent haut et bas dans des mortaises préparées dans la semelle et dans la main courante.

La figure 613 montre la coupe de cette balustrade.

Parfois, il n'y a même pas imitation de balustres et le remplissage est fait par des panneaux en bois découpé du genre indiqué (fig. 614 et 615). Dans ce cas, le panneau découpé est embrevé sur tout son pourtour, dans les montants, la semelle et la main courante.

A chacun de ces modèles nous varions, autant que faire se peut, les profils divers: main courante, semelle et tête de poteau.

La figure 615 donne la coupe verticale et montre l'embrèvement.

Balustrades en bois assemblés. — Toujours sous la dénomination de balustrade, on fait des garde-corps dans lesquels il y a peu ou point de balustres. Notre figure 616 est composée de poteaux, d'une main cou-

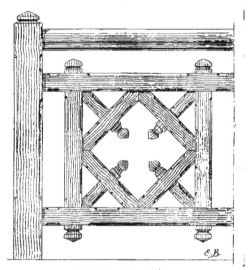

Fig. 616. — Balustrade.

rante et de deux traverses. Ces traverses sont réunies par des petits montants agrémentés de têtes et de culots. Il reste dans les intervalles entre montants des jours qui sont garnis par des pièces obliques.

Tous ces éléments sont assemblés entre eux à tenons et mortaises, et en dehors de la main courante qui est profilée, et des quelques têtes et pontets, la décoration est faite par des chanfreins.

Une autre manière de faire consiste à introduire dans les éléments qui forment la balustrade des bois courbes. Cela détruit un peu la monotonie des lignes droites, mais a l'inconvénient de produire une certaine perte de bois (fig. 617 et 618).

Celle-ci se compose comme la précédente, de poteaux, main courante, traverses et montants. Le remplissage est fait par des pièces curvilignes excentrées. En dehors des culots, l'ornementation ne comprend que des chanfreins et le profil de la main courante.

Fig. 617 et 618. — Balustrade.

La figure 618 montre la section verticale qui donne la coupe de la main courante et de la traverse.

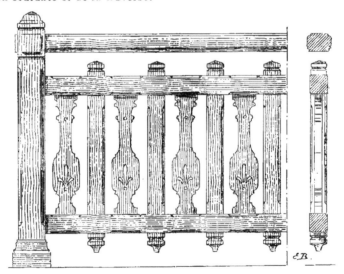

Fig. 619 et 620. — Balustrade.

Avec les figures 619 et 620 nous voyons une combinaison de deux systèmes, bois assemblé et bois découpé.

On pourra dans bien des cas, tirer un bon parti de ce genre mixte, il suffira d'un bon choix des éléments qui concourront à la composition, et de bien proportionner les forces et les jours.

Nous avons, dans cet exemple, complété le poteau par une base et des tablettes saillantes à hauteur de la main courante et décoré les angles par des chanfreins moulurés.

La figure 620 donne la coupe de cette balustrade.

A titre d'exemple, voici comment elle est construite :

Fig. 621 et 622. — Balustrade.

Poteaux, $0^m,120 \times 0^m,120$; traverses, $0^m,080 \times 0^m,080$; main courante $0^m,110 \times 0^m,080$; montants $0^m,070 \times 0^m,070$ et bois découpé $0^m,034$.

Voici maintenant une balustrade composée d'éléments carrés, figures 621 et 622. Le poteau à tête profilée est pris dans un bois de fort équarrissage, mais on pourrait diminuer la perte en rapportant la tête et la base. Il est orné d'une table en creux profilée. La figure 622 montre la section de la main courante et de la semelle en même temps que la face latérale des balustres, qui est du reste identiquement la même que la face principale.

Les figures 623 et 624 représentent une balustrade d'appui de communion, composée de montants surmontés d'ogives en tiers-point qui lui donnent un peu le caractère spécial à sa destination.

Souvent, dans les églises, ces balustrades sont placées près de la marche du chœur et cette dernière sert aux fidèles pour s'agenouiller. Dans les autres cas, cette marche fait partie de l'appui comme dans notre exemple et suivant la coupe donnée figure 624.

La composition est la même que celle des autres balustrades, on place des poteaux à des distances déterminées par la force de la main courante qui sert de traverse pour consolider les éléments en tête.

La marche servant à s'agenouiller, donne de la force à la traverse

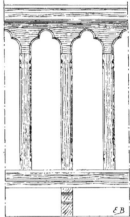

Fig. 623, 624 et 625. — Balustrades.

du bas et est elle-même soutenue par des pieds de distance en distance comme le montre la figure 624.

Une simple variante est dessinée figure 625, où les ogives en tiers-point sont remplacés par des trilobes donnant également un certain caractère religieux.

La composition de la banquette est la même que dans le cas précédent.

Les forces des bois dans ces balustrades sont les suivantes : Poteaux, $0^m,130 \times 0^m,130$ au pied et à la tête, $0^m,090 \times 0^m,090$ pour le fût; main courante, $0^m,120 \times 0^m,080$; traverse inférieure, $0^m,080 \times 0^m,110$; montants, $0^m,050 \times 0^m,050$; banquette, $0^m,034$ et les pieds, $0^m,050$.

Avec la figure 626, nous aurons de nouveau à parler des alternances. On voit en effet que cette balustrade est composée de balustres tournés à torsades et de balustres de section carrée. Cela rompt, avons-nous dit, la monotonie d'éléments toujours semblables et donne en même temps un effet décoratif très heureux.

Les balustres sont surmontés d'arcatures assemblées avec la main courante et ornées de petits profils et de tablettes saillantes.

Le poteau est défoncé avec profils et on a réservé une table taillée en pointe de diamant, ce poteau est surmonté d'un vase.

Fig. 626. — Balustrade.

Les balustres sont décorés, en outre des profils, de canaux et de tor-sades.

Bien que nous ayons donné déjà de nombreux modèles de balustres on trouvera ici encore un choix répondant à peu près à tous les besoins qui pourraient se présenter.

Voici quelques balustrades comportant des balustres tournés.

L'ossature résistante de la balustrade restant constante, sauf les variations de profils que l'on peut faire, voici (fig. 626) une balustrade composée de balustres ronds obtenus sur le tour, et dont seuls le cha-piteau et la base restent carrés.

L'assise d'une partie cylindrique sur un cube régulier se faisant sou-vent mal et laissant inoccupés des triangles parfois importants, nous indiquons sur cette figure 626 le moyen d'éviter cet effet défectueux.

Fig. 627 et 628. — Balustrade.

Il suffit d'abattre les angles suivant un arc de cercle ou une courbe quelconque que l'on trace sur les faces avant la coupe.

La figure 628 ne se distingue des balustrades déjà vues que par la

Fig. 629 et 630. — Balustrades.

forme des balustres qui n'ont pas de panse proprement dite, mais une sorte de fût curviligne très allongé.

Se rapprochant davantage de la forme ordinaire, les balustres de

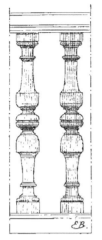
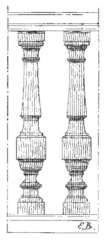

Fig. 631 et 632. — Balustrades.

la balustrade (fig. 629) sont également montés sur la semelle et la
main courante.

Le modèle (fig. 630) nous montre une balustrade dont les balustres

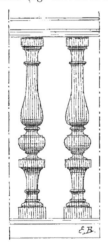
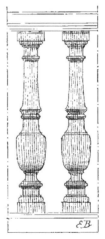

Fig. 633 et 634. — Balustrades.

tournés ont un col curviligne et dont la panse à double courbe rappelle
un peu la forme de la poire.

Les quelques exemples qui vont suivre ne sont guère qu'un prétexte pour donner encore quelques modèles de balustres. Cependant ceux-ci sont carrés et présenteront peut-être d'intéressants profils.

Voici d'abord (fig. 631) un profil de balustre symétrique par rapport au milieu de sa longueur.

Puis (fig. 632), un balustre à panse cubique avec col curviligne.

La figure 633 donne un balustre de profil très découpé et présentant une certaine élégance.

Enfin, avec la figure 634, nous retrouvons la vraie forme du balustre avec forte panse.

Nous aurons peu de chose à dire en ce qui concerne l'écartement des balustres. Nous rappellerons toutefois que, par destination, une balustrade doit garantir des chutes possibles, et qu'il faut en tout cas qu'un enfant ne puisse trouver passage entre deux balustres.

Cela nous donne un maximum de jour d'environ $0^m,130$ qui se trouvera réduit suivant le profil adopté qui ne laissera jamais un jour uniforme.

BALCONS

Un balcon est une saillie au delà du nu d'un mur et est porté en encorbellement par des consoles, des colonnes, ou tout autre moyen assurant une solidité suffisante.

Généralement formé d'une balustrade comprenant deux retours laté-

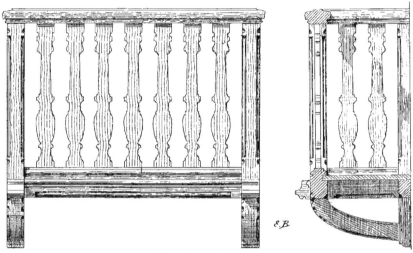

Fig. 635 et 636. — Balcon.

raux, le balcon comporte au moins deux consoles qui portent les montants d'angles et quelquefois des montants d'applique sur lesquels sont assemblées les traverses basses portant le parquet. La traverse haute forme lisse ou lice, qui est la main courante. Le remplissage peut être fait en bois découpé comme dans nos figures 635 et 636, et affecter un profil de balustre.

D'une construction plus solide, mais aussi plus coûteuse, on peut

construire le balcon avec de véritables balustres et mettre tout le reste
à l'avenant.

Notre exemple (fig. 637 et 638) est de cet ordre.

Il comprend deux consoles avec contre-fiches courbes en bois de

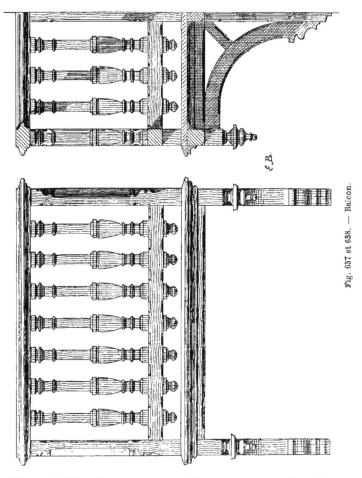

Fig. 637 et 638. — Balcon.

$0^m,090 \times 0^m,090$ reliées aux autres pièces par un petit lien. Les montants sont en même bois, ceux d'applique réduits de moitié ; la main
courante $0^m,180 \times 0^m,080$; la traverse $0^m,080 \times 0^m,080$ et les balustres
de même force.

La figure 637 représente l'élévation du balcon.

La figure 638 donne la coupe.

Le dessin indique suffisamment les profils pour nous en épargner la description. Nous appellerons seulement l'attention de nos lecteurs sur les forts chanfreins des montants d'angles qui font un fort bon effet en exécution.

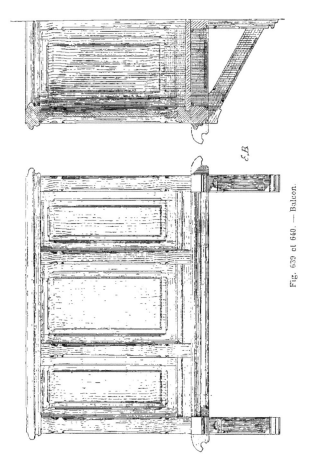

Fig. 639 et 640. — Balcon.

On fait aussi des balcons entièrement pleins, et bien que le cas soit plutôt rare, nous avons tenu à en donner un exemple.

La partie construction est semblable à ceux qui sont donnés plus haut, mais le remplissage est différent. Il est fait de panneaux de lambris à petits cadres, embrévés dans les montants et traverses (fig. 639 et 640).

Sur le dessin du précédent balcon nous avons figuré une console
de forme courbe ; pour celui qui nous occupe maintenant nous avons
employé la console qui nous paraît la meilleure. parce que la plus solide,
et qui est entièrement composée de pièces droites.

Lorsque les balcons sont de grandes dimensions, il faut mettre des

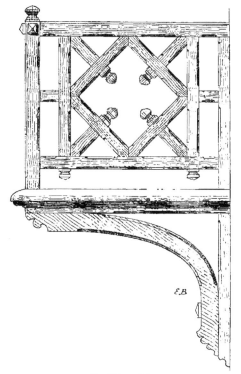

Fig. 641. — Balcon

traverses en nombre suffisant pour supporter le parquet. Parfois aussi,
ce parquet est remplacé par des planches épaisses et même des madriers ;
on laisse alors entre chaque planche ou madrier un léger espace qui
permet au bois de jouer et qui laisse libre passage à l'eau provenant des
pluies.

Dans les balcons avec parquets, il faut toujours arriver à recouvrir
cette surface en zinc ou en plomb ; il est très utile de ménager les pentes
nécessaires à l'écoulement des eaux et en assurer la sortie par de petits
canaux ou gueulards qui les jettent à l'extérieur.

Notre dernier exemple sera un balcon en bois assemblé (fig. 641), qui est du même genre, en tant que balustrade, que notre figure 616 ci-dessus.

La console est figurée courbe, malgré ce que nous disons et conseillons plus haut, mais il faut bien avouer que la forme curviligne est plus agréable à l'œil, et il faut bien sacrifier quelque chose à la question d'aspect.

DIVERS

Tout en restant dans les limites que nous nous sommes tracées, nous allons étudier brièvement quelques-uns des ouvrages que le menuisier peut être appelé à exécuter.

Niche à chien. — C'est une habitation destinée à un frère inférieur

Fig. 642 et 643. — Niche à chien.

et qui ne comporte qu'un étage, et qu'une seule pièce servant spécialement de dortoir.

Les dimensions moyennes sont, à l'intérieur, d'environ $0^m,50 \times 0^m,70$ mais varient naturellement avec la taille de l'habitant.

Nous donnons un exemple de niche (fig. 642 et 643) représentant les façades principale et latérale.

Elle se compose de quatre montants d'angles dans lesquels viennent s'embrever les parois (fig. 644), d'un cadre horizontal, assemblé à mi-bois et à abouts profilés. Ce cadre porte une feuillure dans laquelle vient se placer le plancher de la niche (fig. 645).

La couverture est faite de planches se recouvrant l'une l'autre d'en-

 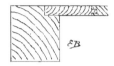

Fig. 644. — Montant d'angle.   Fig. 645. — Coupe du cadre horizontal.

viron 0^m,025, largeur suffisante pour pouvoir clouer. Les abouts des planches sont recouverts par une petite moulure et une crête fait la décoration.

Les parois sont faites par des frises assemblées à rainures et lan-

Fig. 646. — Joint à larmier.

guettes et nous saisissons l'occasion de parler ici d'un système, que nous avons expérimenté et qui donne de bons résultats. Ce n'est pas sa place ici, il convient surtout pour des surfaces plus grandes et exposées à la pluie.

Lorsqu'il pleut et que l'eau est projetée sur une paroi en bois dont les joints sont horizontaux elle pénètre dans toutes les fentes qui se produisent fatalement par le retrait du bois.

Nous avons pensé que si chaque joint des frises était muni d'un larmier, l'eau ne pourrait pas pénétrer, et nous avons été amener à créer le profil que nous donnons (fig. 646).

Comme on peut s'en rendre facilement compte l'entrée de l'eau dans le joint est impossible, celle qui mouille une frise tombe sur la frise suivante sans pouvoir pénétrer à l'intérieur du joint, et ainsi de suite jusqu'en bas.

On remarquera de plus, que cette disposition si simple présente, sur le joint ordinaire ou sur celui à baguette, l'avantage de dissimuler toujours la fente produite par la dessiccation du bois.

Bancs. — Un banc, en général, est un siège allongé sur lequel plusieurs personnes peuvent prendre place en même temps. Il est composé de deux pieds, d'un siège et d'un dossier.

L'exemple que nous donnons (fig. 647, 648 et 649) est entièrement assemblé.

Le pied est composé de six pièces assemblées à tenon et mortaise, en bois de 0^m,041 ; la banquette est en même bois avec profil à baguette, et est soutenue par une traverse en bois de 0^m,054 élargie près des pieds pour concourir à l'indéformabilité de l'ensemble ; le dossier est composé de deux barres arrondies de 0^m,034.

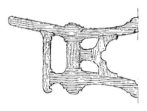

La figure 647 représente le banc vu en élévation ;

La figure 648 indique la vue latérale ;

La figure 649 donne la coupe transversale du banc.

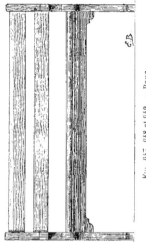

Fig. 647, 648 et 649. — Banc.

Poteaux indicateurs. — Les poteaux indicateurs ont pour destination de servir de support à un écriteau indiquant la direction d'un chemin ou toute autre indication utile.

Dans les endroits habités, on dispose presque toujours d'un mur sur lequel il est facile de fixer une plaque indicatrice, mais il n'en est pas de même dans les campagnes et alors on a recours aux poteaux portant à une hauteur convenable un petit tableau sur lequel l'indication de la direction, la distance, ou le danger que peut présenter un chemin sont écrits en caractères assez gros pour indiquer ou prévenir.

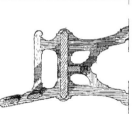

Les poteaux par eux-mêmes ne présentent aucune particularité. Ils sont enfoncés dans le sol tout simplement, ou scellés dans un massif de maçonnerie.

Ils sont parfois carrés de 0^m,80 $\times$ 0^m,80 ou 0^m,100 $\times$ 0^m,100 suivant leur hauteur et l'importance du tableau.

C'est surtout des tableaux que nous nous occuperons ici.

Leurs dimensions, en hauteur et largeur, varient naturellement avec l'importance de l'inscription. Notre exemple (fig. 650) présente une surface utile de 0ᵐ,230 et 0ᵐ,350, porte un petit encadrement assemblé

Fig. 650 et 651. — Poteaux indicateurs.

d'onglet et est orné au pourtour d'un entourage en bois découpé. Le poteau est à chanfreins sur les angles.

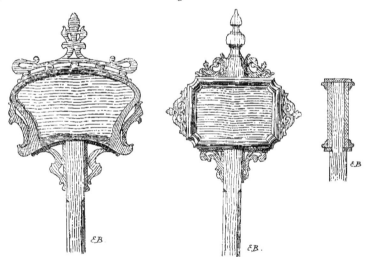

Fig. 652 et 653. — Poteaux indicateurs.　　　　　Fig. 654. — Coupe.

Parfois ces tableaux ont deux faces, lorsqu'il y a une raison pour que l'indication soit vue des deux côtés ; d'autres fois, deux tableaux sont placés d'équerre, à angle droit, à angle obtus ou à angle aigu comme aux intersections de routes par exemple.

La figure 651 nous donne un tableau rectangulaire accompagné d'un découpage art nouveau.

Dans le modèle (fig. 652) la forme rectangulaire est remplacée par une forme curviligne, qui est un point de départ à toutes les autres formes que la composition décorative pourra faire surgir. Conçu dans un goût un peu moderne, les moulures sont remplacées par des appliques à plat fixées sur le tableau lui-même. L'ornementation est en bois découpé.

Avec la figure 653 nous revenons à la forme rectangulaire, mais adoucie par des courbes.

Ici, le poteau dépasse par une tête profilée et la décoration est faite par des ornements en bois découpé.

La figure 654 montre la coupe d'un tableau à double face pour deux indications.

Tréteaux. — Un tréteau est un chevalet porté sur quatre pieds et qui sert, accompagné d'un autre, à supporter une table pour dessinateur ou toute autre destination.

Les figures 655 et 656 en donnent un modèle ordinaire. Certains tréteaux se font avec des vis en bois en remplacement des tringles de relevage percées, cela permet l'élévation de la table avec une grande sensibilité, et aussi rend facile l'obtention d'une pente quelconque de ladite table.

Avec notre exemple on obtient aussi l'élévation et la pente mais pas avec autant de variété, puisque les variations de hauteur et d'inclinaison sont fixées par la distance des trous. Il est vrai que pour se rapprocher de la perfection que donne la vis, il suffira de percer des trous supplémentaires.

Bien que les dimensions soient très connues, nous dirons néanmoins que la hauteur au repos est de $0^m,820$; la longueur des barres supérieures, de $0^m,800$; la distance extérieure des pieds, $0^m,650$; et à la base du triangle, dans l'autre sens, $0^m,360$.

Les pieds sont faits en bois de $0^m,054 \times 0^m,027$; les traverses en $0^m,050 \times 0^m,025$; les barres supérieures, $0^m,090 \times 0^m,027$, et les tringles percées en $0^m,050 \times 0^m,013$.

Mobilier scolaire. — Le mobilier scolaire est extrêmement différent

suivant les conditions spéciales à remplir dans chaque cas. Il varie de
dimensions avec l'âge des enfants ; de formes suivant le genre des études.
et de construction suivant les matériaux employés.

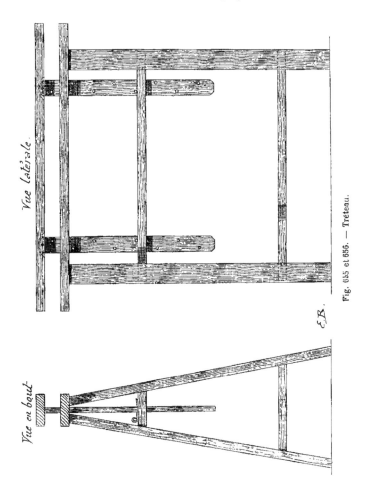

Fig. 655 et 656. — Tréteau.

Nous ne nous étendrons pas ici outre mesure sur ce sujet spécial et
nous nous contenterons de montrer un type exécuté en menuiserie qui
pourra servir de base à l'étude de tout autre type qui pourrait être demandé.

Ce mobilier doit répondre en même temps aux conditions d'hygiène,
de commodité et de spécialité des études auxquelles il est destiné.

D'après ce que nous venons de dire on devra varier la hauteur des bancs et des tables suivant que les classes sont destinées à des enfants très jeunes ou à d'autres ayant acquis un certain développement.

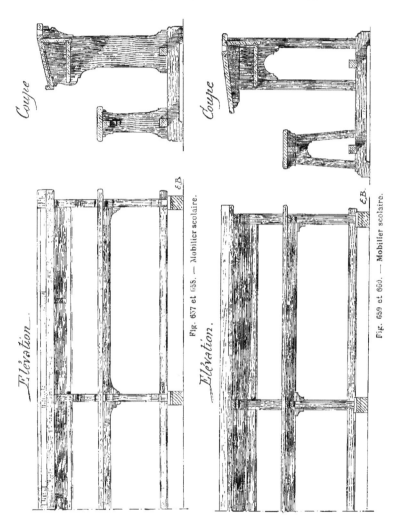

Coupe

Coupe

Élévation.

Élévation.

Fig. 657 et 658. — Mobilier scolaire.

Fig. 659 et 660. — Mobilier scolaire.

Le premier exemple que nous donnons (fig. 657 et 658) est construit en planches pleines. Il comporte, comme on peut le voir, un banc et une table avec pupitre.

La figure 658 montre la coupe.

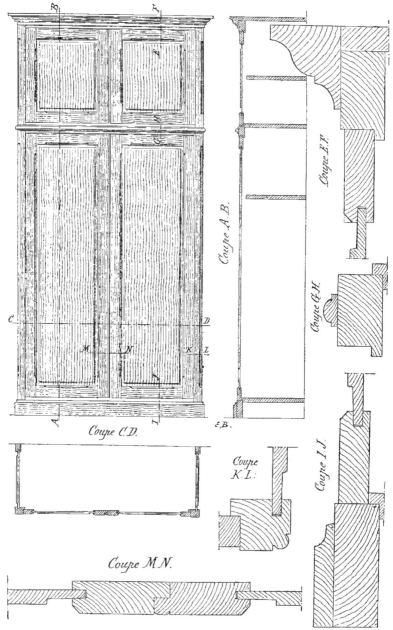

Fig. 661, 662, 663, 664, 665, 666, 667 et 668. — Armoire de lingerie.

Un autre genre de construction consiste à l'établir avec des bois assemblés (fig. 659 et 660).

La figure 660 donne la coupe de cette table.

Armoire de lingerie. — Nous donnons cette armoire qui est presque un meuble, parce qu'elle peut servir en menuiserie à l'étude d'une armoire entièrement fixe et sans côtés.

Les figures 661, 662, 663, 664, 665, 666, 667 et 668 nous montrent comme ensemble et détails une armoire de lingerie.

La figure 661, élévation, indique que cette armoire ouvre en deux corps ; le corps inférieur, qui peut aussi servir de penderie, et le corps supérieur qui est garni de tablettes.

La figure 662, coupe AB, montre les tablettes et la construction de l'armoire.

La figure 663, coupe CD, indique le plan.

Cette armoire est à glace, plates-bandes et chanfreins. A la partie supérieure est une moulure faisant corniche comme on le voit sur la figure 664, coupe EF.

La coupe GH (fig. 665) donne la section de la traverse et montre la tablette disposée pour former feuillure aux vantaux de corps supérieur. Cette traverse porte feuillure pour les vantaux du corps inférieur.

Le socle de cette armoire est représenté (fig. 666), coupe IJ. On y voit la tablette inférieure disposée de même façon que celle que nous avons vu plus haut, de manière à former feuillure.

Les montants d'angles dont nous donnons la coupe KL (fig. 667) portent une feuillure pour les vantaux et une rainure pour recevoir le panneau latéral, l'angle est orné d'une baguette.

La coupe MN (fig. 668) montre la section des montants battements et l'embrèvement des panneaux à plates-bandes des vantaux.

Sellerie. — Une sellerie est une pièce où l'on tient en bon ordre les selles et les harnais destinés aux chevaux.

Il est bien, quand on peut le faire, de placer la sellerie le plus près possible des écuries.

Dans une sellerie bien tenue, les murs sont entièrement garnis de lambris (fig. 669 et 670), à petits cadres ou à glace comme dans notre exemple, composés de poteaux sur lesquels on fixe des supports destinés aux selles et harnais, et de panneaux assemblés dans des châssis qui garnissent les espaces entre les poteaux.

Sur nos figures 669 et 670 on voit de face et de côté les porte-harnais et les porte-selles.

Le porte-harnais, que l'on voit en haut, est une sorte de patère soutenue généralement par une console.

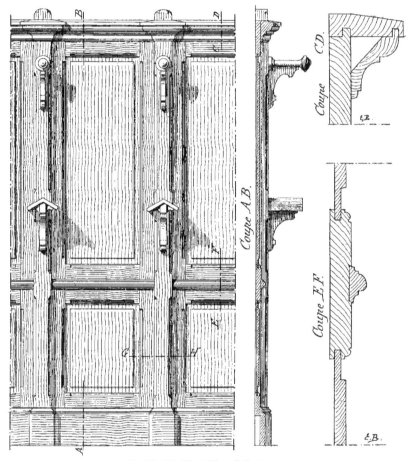

Fig. 669, 670, 671 et 672. — Sellerie.

Le porte-selles, indiqué en bas, affecte une forme anguleuse un peu dans le genre de l'échine du cheval, et cette forme présente un repos propice à la selle.

La figure 670 donne la coupe en AB du revêtement en bois, et montre, vus de côté, les accessoires de sellerie.

Le lambris est souvent couronné d'une corniche dans le genre de celle que nous donnons (fig. 671). Celle-ci est, comme on le voit, composée d'une tablette et d'une pièce moulurée oblique assemblées entre elles à rainure et languette.

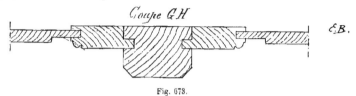

Fig. 673.

Lorsqu'il y a une cimaise le lambris peut être traité comme nous l'indiquons (fig. 672) en prenant la traverse d'appui assez large pour figurer traverse au-dessus et au-dessous de la cimaise.

Nous montrons enfin (fig. 673) la section du poteau et l'assemblage des panneaux.

Bat-flancs. — Un bat-flanc est une séparation mobile, suspendue au plafond par des chaînes ou des cordes, et essentiellement démontable, que l'on place entre les chevaux dans une écurie pour éviter que les animaux se blessent entre eux en donnant des coups de pied.

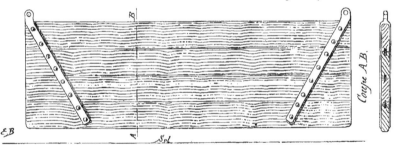

Fig. 674 et 675. — Bat-flanc.

Un bat-flanc (fig. 674 et 675) se fait en bois assez fort, généralement de 0^m,054, par planches assemblées à rainure et languette suivant ce qui est indiqué figure 675, coupe AB.

Les ferrures de suspension sont faites d'un étrier allongé moisant les planches, et boulonné sur chacune d'elles. Cet étrier est terminé en haut par un œil dans lequel vient s'engager une sauterelle amarrée sur la corde de suspension.

La sauterelle est un petit appareil qui se déclanche avec une grande facilité et permet de faire tomber le bat-flanc au cas ou un cheval se serait engagé par-dessus et ne pourrait se délivrer.

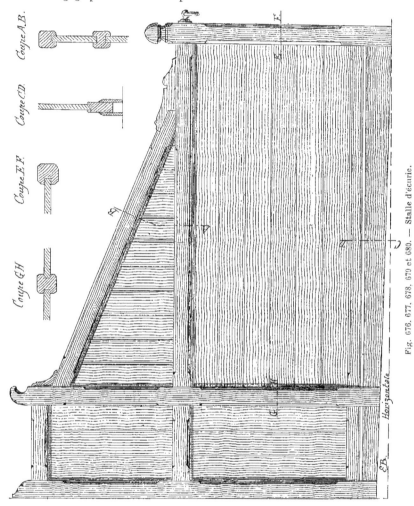

Fig. 676, 677, 678, 679 et 680. — Stalle d'écurie.

Stalles d'écuries. — Dans les écuries d'une certaine importance on sépare les chevaux par des cloisons fixes appelées stalles.

La longueur de ces stalles est de 2^m,500 au moins, leur hauteur est d'environ 1^m,300 à la partie antérieure et de 2^m,000 mesure prise près du râtelier.

Notre premier exemple (fig. 676, 677, 678, 679 et 680) est de construction très simple. Cette stalle est composée de poteaux et traverses formant bâti et d'un remplissage en planches.

Comme construction, la coupe AB (fig. 677) nous montre deux traverses en bois de $0^m,080 \times 0^m,080$ rainées pour recevoir le panneau supérieur en frises de $0^m,027$ avec baguettes sur joints, et en dessous rainées pour bois de $0^m,034$.

Les trois autres panneaux sont en bois de $0^m,034$ assemblé à rainures et languettes.

La coupe CD (fig. 678) indique la partie basse de la stalle s'appuyant sur le sol. Cette partie est composée d'une traverse méplate en bois de $0^m,054$, dans laquelle vient s'embrever le panneau, et de deux plinthes en bois de $0^m,018$ portant un petit profil.

Le poteau antérieur, coupe EF, figure 679, est en bois de $0^m,120 \times 0^m,120$ et reçoit par embrèvement le panneau de la stalle.

Enfin, les autres poteaux, coupe GH (fig. 680), sont en $0^m,110 \times 0^m,110$.

Nous avons, sur notre dessin, indiqué quelques profils que l'on pourrait supprimer pour simplification et dans un but d'économie.

Le surplus de la décoration est fait par des chanfreins.

Il est bien entendu que ce travail doit être fait en bois dur, les chevaux étant par nature peu soigneux de leur mobilier ne tarderaient pas à mettre en fort mauvais état une stalle établie en sapin, et ce serait de l'économie à rebours.

L'espace d'une stalle à l'autre varie de $1^m,700$ à $1^m,800$, mais lorsqu'on peut porter cette distance à $2^m,00$, cela n'en vaut que mieux.

Nous ne donnerons pas ici des stalles de grand luxe mais nous devons dire cependant qu'on en fait couramment de moins simples que celle que nous venons d'examiner plus haut.

Voici un autre modèle (fig. 681, 682, 683, 684, 685 et 686), qui est un peu plus luxueux. De plus, cette stalle est de construction mixte en ce sens que la partie supérieure est en fer, composée d'un barreaudage en fer rond de manière à ne pas présenter d'angles blessants.

Ici, le poteau antérieur est rond et vient caller un bâti rempli par des panneaux à double face avec baguettes sur joints. La décoration est fournie par la disposition oblique des frises, par des chanfreins, par les profils du poteau antérieur et de la corniche, et enfin par les quelques enroulements en fer forgé de la partie métallique.

Les bois composant le bâti sont méplats de $0^m,090 \times 0^m,054$ et de
même force pour montants et traverses, sauf cependant la traverse du
bas qui est plus haute.

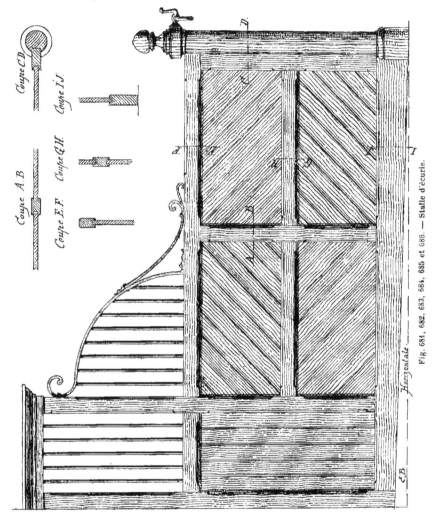

Coupe C D.

Coupe I J.

Coupe A B.

Coupe G H.

Coupe E F.

Horizontale.

Fig. 681, 682, 683, 684, 685 et 686. — Stalle d'écurie.

La figure 682, coupe AB, montre l'assemblage des frises qui ont
$0^m,027$ d'épaisseur seulement.

Le poteau, figure 683, coupe CD, a $0^m,130$ de diamètre au fût et
$0^m,170$ à la tête ainsi qu'à la base et dans la partie scellée.

La traverse supérieure donne la coupe EF (fig. 684).

La traverse intermédiaire est indiquée coupe GH (fig. 685).

Enfin la figure 686, coupe IJ, donne la section prise sur la traverse inférieure.

Le barreaudage en fer rond a $0^m,018$ de diamètre et le fer plat $0^m,040 \times 0^m,016$.

DEVANTURES DE BOUTIQUES

La devanture de boutique est une menuiserie de revêtement qui forme une légère saillie au-devant du nu, à l'emplacement d'une boutique.

Elle est composée d'un soubassement, d'une partie vitrée qui est la montre, et d'un entablement où se trouve le grand panneau allongé propre à recevoir les inscriptions ou enseignes.

Aux deux extrémités latérales sont les caissons, sortes de petites armoires où jadis on rangeait les volets mobiles et où, maintenant, on loge le mécanisme des fermetures métalliques.

Avant d'examiner les devantures telles qu'elles se font actuellement, disons seulement quelques mots des anciennes, ou plutôt du mode de fermeture.

Au moyen âge, les boutiques, peu vastes d'ailleurs, avaient pour fermeture de chaque partie à jour, une sorte de trappe double, verticale, dont le vantail inférieur de plus petite dimension était ou entièrement rabattu sur le mur de face, ou maintenu horizontalement par un ou plusieurs crochets faisant jambes de force, et servait ainsi à l'étalage des marchandises. Le vantail supérieur, plus grand, était relevé suivant une certaine inclinaison également par des crochets, et servait d'auvent pour protéger les marchandises contre la pluie et contre les chutes d'objets pouvant tomber des étages.

Déjà, à cette époque, on employait aussi les volets mobiles et un peu plus tard les volets articulés.

Cette pratique s'est continuée jusqu'à nos jours, et ce n'est guère que dans la deuxième moitié du siècle dernier que les nouvelles fermetures sont apparues et ont assez promptement supplanté les anciennes.

Les volets mobiles étaient une série de panneaux qui servaient à clore la boutique le soir, et que le jour on réunissait dans les caissons latéraux, ou dans un lieu quelconque lorsqu'on n'avait pas de caissons à sa disposition.

Nous avons encore vu des boutiques fermées par ce moyen, et cela ne nous rajeunit pas, comme disait ce pauvre Alphonse Allais, et c'était bien ce que l'on peut rêver de plus incommode.

Plus tard, un perfectionnement a été apporté, on a solidarisé les divers panneaux ou volets avec des charnières posées intérieurement et extérieurement de manière à pouvoir replier les lames les unes sur les autres en zigzag pour former paquet, et l'on introduisait le tout dans le caisson. C'était déjà beaucoup plus commode comme manutention que les volets mobiles, et une fois développés pour la fermeture il suffisait de les fixer en place par une barre de fer plat assujettie à la devanture par des boulons à clavette.

Nous avons maintenant à notre disposition les fermetures métalliques à lames et ondulées dont la supériorité n'a plus besoin d'être démontrée, et c'est en vue de ces fermetures que nous avons choisi nos exemples.

Nous donnons tout d'abord une devanture destinée à être fermée par une fermeture à lames d'un système quelconque (fig. 687, 688, 689, 690, 691 et 692).

Observons tout d'abord que l'entablement ou tableau d'enseigne, est vertical alors qu'avec les fermetures ondulées qui comportent un rouleau assez volumineux le tableau est incliné de manière à procurer la place nécessaire pour loger la fermeture lorsqu'elle est relevée.

La figure 687 donne l'élévation de cette devanture qui comprend une corniche, un tableau plat ou frise, un astragale, les caissons en lambris d'assemblage à petits cadres et le soubassement de même construction.

La coupe AB (fig. 688) donne la coupe verticale et montre la place réservée derrière le tableau pour loger le paquet formé par les lames métalliques composant la fermeture.

La coupe CD (fig. 689) donne la section horizontale.

Avec la coupe EF (fig. 690), nous montrons la composition du caisson en lambris à petits cadres monté sur une forte pièce latérale scellée dans le mur et sur laquelle le caisson est fixé par des vis, car il ne faut pas perdre de vue que ce caisson, destiné à dissimuler le mécanisme, doit être amovible de manière à être mis en place après la pose de la fermeture, et doit aussi pouvoir être facilement déposé en cas de réparations.

La coupe GH (fig. 691) nous montre la section du poteau formant

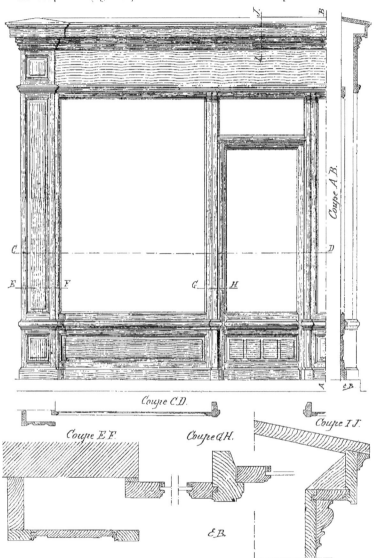

Fig. 687, 688, 689, 690, 691 et 692. — Devanture de boutique.

avec la traverse l'huisserie de la porte. Nous y avons figuré l'assemblage du châssis portant la glace et un des montants de la porte elle-même qui vient battre dans une feuillure pratiquée dans ce montant.

Enfin la figure 692, coupe IJ, nous donne le détail de la corniche de l'entablement.

La fermeture en acier ondulé présente d'assez grands avantages, tant au point de vue de la rapidité de l'opération de la fermeture qu'à celui de la réduction à leur plus simple expression des dimensions des caissons. Cela peut rendre de sérieux services dans certains cas et donne à la devanture une élégance que lui refusaient les grands caissons.

En élévation, la devanture de boutique proprement dite reste sensiblement la même (fig. 693, 694, 695, 696, 697, 698 et 699). Mais où la différence se montre bien, c'est dans la forme de l'entablement. La figure 694, coupe AB, est la section verticale de la devanture, et on peut y observer que le tableau est incliné de manière à réserver à l'intérieur la place nécessaire au logement du rouleau.

A titre de renseignement, nous pouvons dire que le diamètre du rouleau, y compris au moins un centimètre de jeu autour, est approximativement de $0^m,310$ pour une hauteur de $3^m,000$ à fermer ; de $0^m,340$ pour une hauteur de $4^m,000$, et de $0^m,370$ pour une hauteur de $5^m.000$.

La coupe CD (fig. 695) est la coupe horizontale de la devanture prise dans le vitrage.

Voici maintenant (fig. 696), coupe EF, la section du caisson. Nous y avons indiqué la coulisse en fer ⊔ qui sert au glissement du rideau.

Le châssis vitré est en bois de $0^m,034$; le caisson en bois de $0^m,041$.

La coupe GH (fig. 697) montre les montants d'huisserie de la porte et son assemblage avec le châssis vitré.

La coupe IJ (fig. 698) donne la section du même montant avec l'assemblage du soubassement. Le montant a $0^m,080 \times 0^m,080$.

La coupe KL (fig. 699) montre la traverse haute du soubassement, la section de la cimaise et l'assemblage du panneau.

Le châssis du soubassement à petits cadres est en bois de $0^m,034$ et les panneaux en $0^m,020$.

L'entablement est en bois de $0^m,027$ avec profils rapportés et consoles en applique.

L'art nouveau est assez fréquemment employé maintenant pour les devantures. Lorsqu'il est bien traité son originalité peut attirer l'attention et concourir dans une certaine mesure à la réclame si nécessaire au commerce actuel.

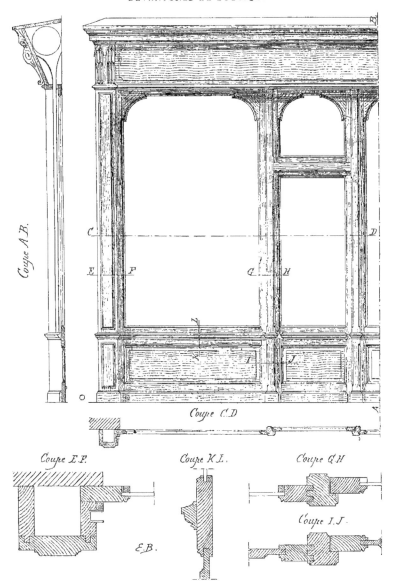

Fig. 693, 694, 695, 696, 697, 698 et 699. — Devanture de boutique.

Pour répondre à ce besoin dans les limites de notre cadre, nous avons composé une devanture en nous inspirant de ce style moderne et en restant toutefois dans la note de simplicité que nous nous sommes imposée.

L'exemple (fig. 700, 701, 702 et 703) est étudié dans ce sens, et nous offre l'occasion de dire quelques mots indispensables en ce qui concerne la hauteur du soubassement.

Cette hauteur est variable avec le genre de commerce auquel le magasin est affecté. On comprend que lorsque l'étalage se compose de menus objets, il est nécessaire de les placer à une hauteur convenable pour que le public s'arrêtant devant une montre ne soit pas obligé de se baisser outre mesure pour voir ces objets et se rendre compte de leur forme et de leur façon ou qualité.

Il en est tout autrement si le commerce exploité dans la boutique comporte des objets volumineux et hauts, tels par exemple des meubles, des costumes et généralement toutes choses d'assez grandes dimensions.

C'est ce dernier cas que nous avons envisagé en faisant notre dessin, aussi le soubassement se trouve-t-il réduit à sa plus simple expression.

La figure 700 représente l'élévation d'ensemble de la devanture.

La coupe des glaces serait fort difficile, et très risquée, si on leur donnait les formes courbes indiquées en les plaçant en feuillure dans les pièces courbes. Aussi est-il beaucoup plus pratique de ne pas réserver de feuillures et de faire passer la glace derrière d'une seule pièce et ne venant en feuillure que sur son pourtour carré ou rectangulaire suivant ses dimensions.

C'est un peu le défaut de ce style de présenter des formes d'exécution difficile. Le panneau de la porte, par exemple, ne compensera peut-être pas par son aspect le prix qu'il aura coûté à établir. Quoi qu'il en soit, on ne peut nier qu'il y ait des choses fort jolies dans ce style, le tort est peut-être de vouloir le placer quand même et dans des occasions où il peut ne pas convenir.

Dans le cas qui nous occupe, le caisson de gauche se trouve accolé au montant de porte (fig. 701), coupe AB, et la coulisse en fer ⊔ de la fermeture ondulée est placée comme dans l'exemple précédent.

La figure 702, coupe CD, donne le montant d'huisserie de la porte et indique son assemblage avec le châssis vitré.

Enfin, la figure 703, coupe EF, montre la section du tableau ou entablement.

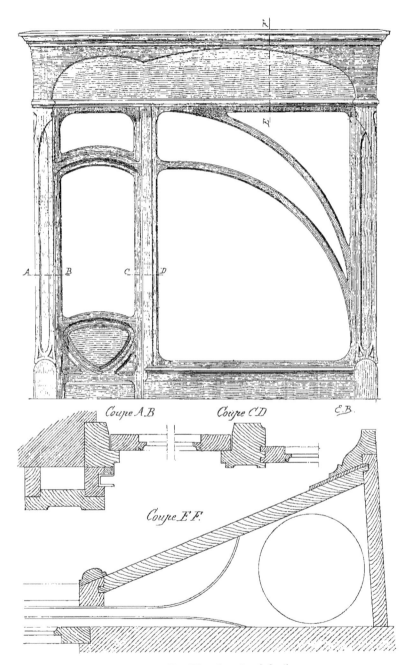

Coupe A B   Coupe C D   E B.

Coupe E F

Fig. 700, 701, 702 et 703. — Devanture de boutique.

La décoration indiquée sur le dessin est bien nette et peut se passer de description.

La forme des devantures est aussi très variable, elles n'avancent pas sur la voie publique, mais c'est seulement parce que de farouches règlements s'y opposent, autrement !... Mais en sens inverse, c'est-à-dire en reculement, les plans les plus fantaisistes sont réalisés. Certaines boutiques ont leur devanture en recul de manière à réserver au public un espace de stationnement à l'abri de la circulation.

Dans le modèle que nous donnons (fig. 704, 705, 706, 707, 708, 709, 710 et 711) nous avons figuré une certaine décoration par des arcatures aux montres, et par un motif spécial de l'entrée, comme on le voit sur la figure 704 représentant l'élévation de cette devanture.

La coupe AB (fig. 705) nous montre que cette devanture est aussi close par une fermeture ondulée.

La coupe CD (fig. 706) est la section verticale dans la porte.

La coupe EF (fig. 707) donne la section en plan de la devanture ; on y remarquera que la porte est en recul de toute la profondeur des montres.

Cette disposition oblige à diviser la fermeture en deux, ce que nous indiquons par deux coulisses en fer ⊔ à chacune des montres, et de plus rend indispensable une troisième fermeture pour la porte, car même en mettant un volet mobile à la porte proprement dite et en garnissant de parties pleines les côtés de l'entrée, on ne pourrait admettre un renfoncement qui rendrait les plus grands services aux malfaiteurs auxquels il fournirait un endroit très favorable pour guetter sans pouvoir être vu le passant bon à dévaliser.

Cette devanture est, dans la profondeur des montres, garnie de revêtements. La coupe GH (fig. 708) montre ce revêtement en plafond, la section du châssis vitré et celle du bas de l'entablement.

La coupe IJ (fig. 709) donne la section du panneau de lambris formant le soubassement.

La figure 710, coupe KL, montre la partie basse du soubassement qui repose sur le socle en pierre.

Enfin, la figure 711, coupe MN, est la section faite dans la partie haute du soubassement de la porte.

Jadis la saillie des devantures était uniformément fixée à $0^m,160$.

Actuellement, et jusqu'à ce que cela change, la saillie des devan-

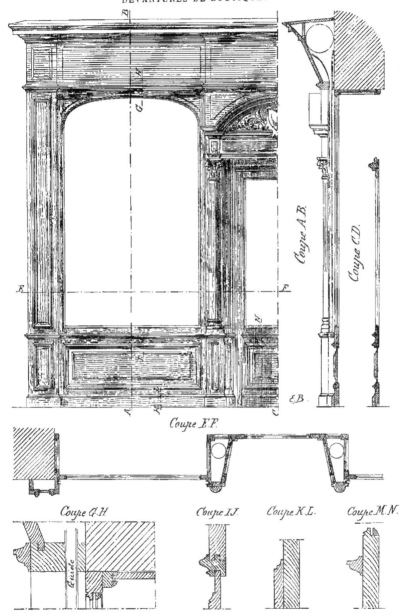

Fig. 704, 705, 706, 707, 708, 709, 710 et 711. — Devanture de boutique.

tures est régie par les articles 28, 29 et 30 du décret du 13 août 1902, ainsi conçus :

DEVANTURES DE BOUTIQUES, COMPRIS SEUILS ET SOCLES

ART. 28. — La saillie des devantures de boutiques, compris seuils et socles, doit être enfermée dans la limite du gabarit fixée pour la partie inférieure des bâtiments.

CORNICHES DE DEVANTURES ET TABLEAUX SOUS CORNICHE, Y COMPRIS TOUS ORNEMENTS POUVANT Y ÊTRE APPLIQUÉS

ART. 29. — La saillie des corniches de devanture et des tableaux sous corniche, y compris tous ornements pouvant y être appliqués, ne doit pas dépasser les trois centièmes de la largeur de la voie, avec un maximum de 80 centimètres.

Elle peut, quelle que soit la largeur de la voie, être portée à 50 centimètres.

GRILLES DE BOUTIQUES, VOLETS OU CONTREVENTS POUR FERMETURES DE BOUTIQUES, PILASTRES, COLONNES, CHAMBRANLES, VITRINES, CAISSONS ISOLÉS EN APPLIQUE ET PANNEAUX DE DÉCORATION DANS LA HAUTEUR DU REZ-DE-CHAUSSÉE ET DE L'ÉTAGE IMMÉDIATEMENT AU-DESSUS, MOULURES FORMANT CADRE.

ART. 30. — La saillie des grilles de boutiques, volets ou contrevents pour fermetures de boutiques, pilastres, colonnes, chambranles, vitrines, caissons isolés en applique et panneaux de décoration dans la hauteur du rez-de-chaussée et de l'étage immédiatement au-dessus, moulures formant cadre, ne peut dépaser la limite du gabarit fixée pour la partie inférieure des bâtiments.

MOULURES PROFILS DIVERS

En architecture, on appelle moulure les ornements qui servent à déterminer ou à accentuer les diverses parties d'un monument.

En menuiserie on ne vise pas aussi haut, mais on se sert aussi de moulures, et en somme la menuiserie faisant partie de la construction et de l'ornementation n'est donc pas autre chose que l'application du travail du bois pour concourir au grand tout qu'est l'architecture.

On divise les moulures en deux catégories, les moulures simples et les moulures composées.

Les moulures simples sont : le filet ou listel, la bande, le quart de rond, le cavet, qui est un quart de rond en creux, le tore ou boudin.

Les moulures composées sont : le talon, la doucine et la scotie.

Avec ces quelques formes principales on arrive à former toutes les autres moulures.

Nous rencontrerons en menuiserie d'autres noms de moulures mais cela est commun à toutes les parties du bâtiment qui ont une tendance, bien qu'employant les mêmes formes et les mêmes éléments, à se créer une technologie particulière.

Au cours de ce qui précède nous avons déjà eu l'occasion d'examiner un certain nombre de moulures ou profils. Nous ne les décrirons pas à nouveau et prierons nos lecteurs de s'y reporter. Voici d'ailleurs les numéros des figures de ces moulures ou profils :

Baguettes. — Voir figures 52, 53 et 54.

Main courantes. — Voir figures 65, 66, 67, 68, 69, 70, 71, 72, 73, 74, 75, 76, 77 et 78.

Grands cadres. — Voir figures 103, 104, 105, 106, 236, 237, 238, 239, 240, 241, 242, 243, 244, 245, 246, 247, 248 et 249.

Petits cadres. — Voir figures 219, 220, 221, 222, 223, 224, 225, 226, 227, 228, 229, 230 et 231.

Petits bois. — Voir figures 292, 293, 294, 295, 296, 297, 298, 299, 300, 301, 302 et 303.

Pièces d'appui. — Voir figures 283, 284, 285, 286, 287, 288, 289, 290 et 291.

Pièces d'appui en fer. — Voir figures 322, 323, 324 et 325.

Têtes de poteaux. — Voir figures 356, 357, 358, 359, 360, 361, 362, 363, 364, 365, 366, 367, 368, 369, 370, 371, 372, 373, 374, 375, 376, 377, 378 et 379.

Culots. — Voir figures 380, 381, 382, 383, 384, 385, 386, 387, 388, 389, 390, 391, 392, 393, 394, 395, 396 et 397.

Profils de poutrelles. — Voir figures 512, 513, 514, 515, 516, 517, 518, 519, 520, 521, 522, 523, 526, 527, 530, 533, 534, 541, 542 et 543.

Baguettes de calfeutrement. — Ces baguettes, sorte de petit couvre-joint, servent à dissimuler les fentes qui se produisent soit entre deux

Fig. 712, 713 et 714. — Baguettes de calfeutrement.

bois qui se sont retirés en séchant, soit entre un bois et une partie de plâtre.

Elles peuvent être unies, c'est-à-dire leur section représentant un petit rectangle, comme une latte qui serait corroyée, ou avec les angles abattus par un léger chanfrein ou par un cavet comme nous l'indiquons figure 712.

Ou encore à doucines comme la figure 713.

Avec filets et quarts de rond (fig. 714).

Baguettes moulurées. — Un certain nombre des profils que nous allons examiner peuvent aussi servir de baguettes de calfeutrement, ceci dit pour toutes celles qui présentent une face plate, ou deux faces plates d'équerre, comme par exemple une baguette quart de rond qui pourra très bien être employée pour calfeutrer une fente dans un angle, au pourtour d'un croisée par exemple.

La figure 715 est profilée de deux cavets et le dessus creusé d'un canal peu profond.

La figure 716 représente un profil à deux boudins laissant subsister entre eux un canal.

Le profil figure 717 est déjà plus recherché dans sa forme, le canal est mouluré et les boudins se perdent en doucine.

Deux quarts de rond et une bande forment la baguette (fig. 718).

La figure 719 est un profil dont la section forme un trilobe.

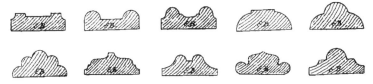

Fig. 715. 716, 717, 718, 719, 720, 721, 722, 723 et 724. — Baguettes.

Le profil (fig. 720) est composé de cinq baguettes demi-rondes de dimensions différentes.

La baguette (fig. 721) est composée d'un listel, de doucines et de petits cavets.

Le profil (fig. 722) est composé de deux doucines et d'un canal réservé entre elles. Cette forme est assez favorable au clouage qui présente des difficultés dans beaucoup de profils pour dissimuler les têtes de clous.

Figure 723, un profil en accolade accolé de deux boudins. Ce profil ne peut guère convenir que pour être employé verticalement, car placé horizontalement les poussières viendraient s'amasser entre l'arrondi du boudin et la paroi.

Enfin, la figure 724 termine notre série de baguettes propres à calfeutrer à plat.

Baguettes d'angles. — Ces baguettes ont pour objet de garnir ou même de calfeutrer un angle rentrant, ou de protéger contre les épaufrures un angle sortant.

Dans le premier cas il s'agit en réalité d'un quart de baguette ronde ramené à un autre profil (fig. 725), et qui convient à un angle rentrant.

Un autre exemple (fig. 726) se rapproche encore plus du quart de rond et est destiné également à un angle rentrant.

C'est presque un quart de rond que la figure 727 nous montre, il n'y a en plus que deux petits filets peu importants.

Fig. 725, 726, 727 et 728. — Baguettes.

Enfin, la figure 728 termine cette série par une baguette d'angle également rentrant, mais cette baguette est moulurée.

Baguettes d'angles sortants. — Si l'on prend une baguette ronde d'un diamètre quelconque et que sur un point quelconque on la creuse d'un canal formant un angle de 90°, et dont le sommet va jusqu'au centre

Fig. 729, 730, 731, 732 et 733. — Baguettes.

de la baguette, on obtient la baguette d'angle telle que nous l'avons donnée (fig. 54).

C'est ce genre de baguette orné de moulures que nous donnons maintenant.

Notre baguette d'angle (fig. 729) est un trilobe formé de deux petits lobes et d'un plus grand.

La figure 730, un peu moyen âge, est également un trilobe accompagné de courbes secondaires.

Le profil (fig. 731) est du même ordre encore mais présente des lignes différentes qui varient le profil.

Avec les figures 732 et 733, nous terminons ce genre de baguettes évidées destinées à protéger les angles des maçonneries fragiles, et particulièrement de celles exécutées en plâtre.

Baguettes pour installations électriques. — Elles peuvent être faites avec tous les profils symétriques ou autres suivant les besoins, et qui présentent en dessous une surface unie. La seule particularité réside dans ce fait qu'elles sont accompagnées d'une planchette creusée de canaux pour contenir les fils et qu'elle-même ne sert en réalité que de couvercle protecteur.

Ces baguettes se font avec un nombre de canaux variable, soit deux, comme dans notre figure 734, soit trois ou plus suivant les besoins, comme le montre la figure 735.

Les canaux varient suivant le nombre et la force des fils qu'ils doivent loger. Ils ont suivant les besoins de $0^m,003$ à $0^m,030$ de largeur.

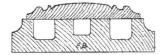

Fig. 735. — Baguette pour électricité.   Fig. 734. — Baguette pour électricité.

La profondeur est généralement égale à la largeur, et le fond des canaux est à angles arrondis ou demi-circulaire suivant les différents cas de la pratique.

Nous devons dire qu'on pratique aussi des canaux pour loger les fils dans toutes les moulures servant à la décoration des pièces. Ces canaux sont alors creusés dans l'endroit de la corniche, du chambranle ou de la moulure quelconque à l'endroit le plus favorable et on a soin d'étudier le profil pour qu'une partie moulurée suffisante puis être amovible et jouer le rôle de couvercle pour dissimuler les fils.

En raison de la démontabilité nécessaire, il est bien de monter ces recouvrements à l'aide de vis, cela évite de graves détériorations dans le cas où la dépose en devrait être faite.

Avant-corps. — En menuiserie, on donne ce nom à des moulures un peu quelconques, à cause surtout de la position qu'elles occupent et sans beaucoup tenir compte de la forme spéciale. Ces moulures, pré-

Fig. 736, 737, 738, 739 et 740. — Moulures.

sentées ici sous ce nom, peuvent donc être utilisées pour tous autres usages. Nous ne voulons, du reste, que présenter un choix le plus varié et le plus complet possible.

Un profil d'avant-corps est une moulure isolée qui se place à une certaine distance d'un profil plus important comme, par exemple, il en est indiqué une sur les corniches de plafond que l'on verra plus loin (fig. 811 et 812).

La figure 736 peut servir à l'usage que nous indiquons, et aussi être employée dans tout autre endroit.

Les figures 737 et 738, de profils différents, ont la même destination.

Enfin, les figures 739 et 740 peuvent aussi être employées pour les mêmes besoins.

Chambranles. — Un chambranle est un encadrement uni ou mouluré qui se place au pourtour des portes intérieures, et sur les deux faces, souvent, la chambranle sert, en même temps que de décoration, à calfeutrer le joint du plâtre avec le bois, dans les cloisons légères par exemple.

Comme nous venons de le dire, le chambranle peut être uni, mais d'une manière générale, on emploie de préférence la moulure.

Contre le chambranle vient s'arrêter la tenture et lorsqu'il y a des lambris, ils sont assemblés avec.

Que ce soit pour recevoir les lambris ou même simplement une cimaise, la moulure dite chambranle doit toujours présenter une surface plate, d'une saillie au moins égale à celle du lambris et surtout à celle de la cimaise qui ne doit en aucun cas être d'une épaisseur supérieure à celle du chambranle.

Nous devons cependant dire que cela se fait néanmoins quelquefois et qu'on est alors obligé d'abattre par un arrondissement la cimaise trop saillante, de manière à adoucir la rencontre perpendiculaire des deux moulures différentes.

La figure 741 nous montre un chambranle dont le profil est composé d'une partie plate, d'une doucine et d'un petit boudin.

Les profils (fig. 742 et 743) présentent deux chambranles de même forme générale que le précédent mais un peu plus détaillés. Sur la figure 742, le profil présente une rentrée de ligne dont nous parlerons plus loin et qui fait que cette moulure ne pourrait pas être faite, mécaniquement, en une seule passe de l'outil.

Le chambranle représenté figure 744 exigerait, ou d'être pris dans un bois épais, ou de n'avoir à arrêter qu'une cimaise plus mince que la dimension que présente son retour d'équerre.

La figure 745 présente à peu de chose près le même profil que la figure 742, mais avec doucine remplaçant le boudin et dimensions plus considérables.

Avec la figure 746, nous voyons un profil légèrement Louis XVI, de lignes calmes et tranquilles.

Le profil figure 747 se compose des mêmes éléments, sauf que la partie principale est un tore corrompu et dont la corruption est encore accentuée par les courbes qui le commencent et le terminent.

Les figures 748 et 749 sont encore avec tores corrompus mais avec doucines remplaçant le boudin.

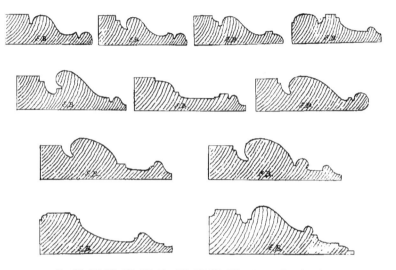

Fig. 741, 742, 743, 744, 745, 746, 747, 748, 749, 750 et 751. — Chambranles.

Avec les figures 750 et 751, nous complétons la série de nos exemples de chambranles.

Faisons toutefois observer que parmi les modèles qui vont suivre beaucoup de profils sont propres à faire de très bons chambranles, surtout lorsqu'on n'aura pas à se préoccuper d'amortissement de cimaises.

Les chambranles sont toujours terminés à la partie basse par un socle de chambranle sur lequel ils reposent, — voir plus haut (fig. 61 et 62).

Cimaises. — En architecture, la cimaise, — ou cymaise, — est une moulure qui se trouve au sommet d'une corniche.

En menuiserie, c'est une pièce de bois, généralement moulurée, ser-

vant de couronnement à un lambris d'appui. Et, enfin, lorsqu'il n'y a pas
de lambris, — ce qui se produit assez fréquemment dans les habitations modestes, — la cimaise est une simple moulure clouée sur le mur
à hauteur d'appui.

Nous avons donné plus haut des exemples d'application (fig. 90 à 95),
où l'on voit la cimaise seule et aussi couronnant un lambris.

La figure 752 donne un profil dans le genre Louis XVI.

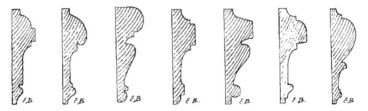

Fig. 751, 752, 753, 754, 755, 756, 757 et 758. — Cimaises.

Les exemples (fig. 753, 754 et 755) donnent d'autres cimaises peu
saillantes, convenant à de petites salles à manger ou autres pièces de
petites dimensions comportant l'emploi de la cimaise.

Les figures 756, 757 et 758 présentent des profils ayant un peu plus
de corps, en les proportionnant bien elles peuvent trouver emploi dans
des pièces un peu plus grandes.

Cadres. — Ces moulures, dont la largeur varie de $0^m,035$ à $0^m,050$,
sont destinées à l'imitation des lambris. Elles forment des cadres allongés

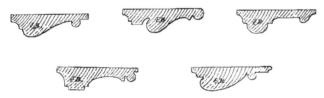

Fig. 759, 760, 761, 762 et 763. — Cadres

placés directement sur la paroi entre la cimaise et la plinthe ou le stylobate, suivant les cas.

Nous avons donné un exemple d'application (fig. 90), en traitant
des lambris.

Voici des exemples de moulures propres à former des cadres de
faux lambris (fig. 759, 760, 761, 762 et 763).

Profils divers. — Il est assez difficile, en dehors de quelques profils présentant une particularité, de les classer exactement suivant leur
destination.

Comme nous l'avons déjà dit, un profil quelconque peut également
convenir à plusieurs emplois différents. C'est beaucoup une affaire de
goût et tel profil qui semble n'être ni un chambranle ni une cimaise
pourra cependant tenir cet emploi et y faire bonne figure.

Pour ces raisons, nous allons donner un choix de quelques profils

Fig. 764, 765, 766, 767, 768, 769 et 770. — Moulures.

sans destination définie, qu'on pourra utiliser tels qu'ils sont tracés, ou
qui serviront de base à d'autres compositions.

La figure 764 peut servir de cadre, d'avant-corps, voire même de
chambranle, s'il n'y a pas de cimaise qui vienne buter contre.

Les figures 765 et 766 peuvent remplir les mêmes offices dans une
décoration plus importante.

Les figures 767, 768, 769 et 770 sont des profils divers qui devront
être employés suivant qu'ils sembleront convenir à la destination qu'on
se proposera de leur donner.

Les profils style moderne sont assez difficiles à créer parce que toutes
les formes imaginables ont été employées dans les anciens profils. Comme
dans beaucoup d'autres cas, on n'arrive dans ce genre à se singulariser,

à faire du nouveau qu'au prix de déformations qui, malheureusement, ne sont pas toujours recommandables.

Quoi qu'il en soit, nous avons cherché à donner quelques échantillons dans ce goût, et en les donnant ici nous demandons à nos lecteurs d'être indulgents et de ne voir que la bonne intention.

Les figures 771, 772, 773, 774, 775 et 776, dans lesquelles les lignes

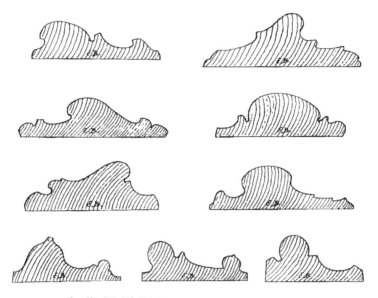

Fig. 771, 772, 773, 774, 775, 776, 777, 778 et 779. — Moulures.

droites sont presque entièrement éliminées, représentent ce qu'il nous a été possible de réunir.

Dans le goût moyen âge, nous donnons les profils (fig. 777, 778 et 779), qui peuvent convenir pour cimaises, chambranles, etc.

Avec les procédés de fabrication mécanique actuels une moulure s'obtient en une seule passe à la condition qu'une verticale promenée sur tout le profil puisse l'atteindre partout.

Or, on voit dans les exemples que nous venons de donner, de nombreux profils ou des parties rentrantes que l'outil actionné d'un mouvement de rotation horizontal ne pourrait atteindre.

Jadis, lorsque les profils étaient poussés à la main, ces creux étaient obtenus à l'outil détaché, c'est-à-dire faits après coup.

Leur façon mécanique est probablement possible par une ou plu-

sieurs passes supplémentaires, mais nous n'en avons pas connaissance
et préférons l'avouer.

Plinthes, stylobates. — Nous avons dit précédemment que les plinthes et les stylobates n'offraient pas d'autres différences que la hauteur,
qui est plus considérable pour le stylobate que pour la plinthe.

Très souvent ces objets sont faits d'une simple planche dont la
partie supérieure est horizontale et dont celle inférieure est traînée,
c'est-à-dire épouse toutes les sinuosités du parquet.

Nous avons dit aussi que leur épaisseur variait de $0^m,013$ à $0^m,22$.

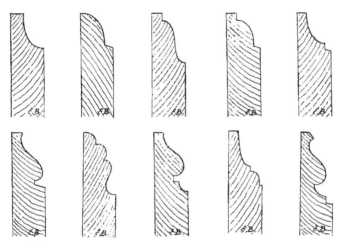

Fig. 780, 781, 782, 783, 784, 785, 786, 787, 788 et 789. — Moulures de plinthes.

Les plinthes et stylobates se font unis ou avec profils, et dans ce
cas, c'est seulement la partie supérieure qui est moulurée.

Ces profils sont plus ou moins compliqués, nos figures 780, 781,
782, 783 et 784 donnent des exemples comprenant de un à trois corps
de moulure.

La première est un cavet ; la seconde un quart de rond et un filet ;
la troisième une doucine et un filet ; la quatrième un quart de rond et
deux filets ; enfin, la cinquième un cavet et un filet.

Puis, viennent les figures 785, 786, 787, 788 et 789, qui sont des
moulures déjà plus recherchées, et qui se composent des éléments de
profils déjà connus.

Bien que l'on dispose souvent de peu de bois, car une plinthe de

$0^m,013$ ne permet pas de faire un profil bien accentué, on voit que les combinaisons de profils ne manquent pas et cependant nous sommes loin de prétendre les avoir indiquées toutes.

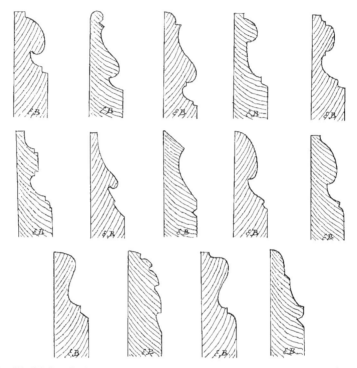

Fig. 790, 791, 792, 793, 794, 795, 796, 797, 798, 799, 800, 801, 802 et 803. — Moulures de plinthes.

Toujours guidés par la même préoccupation de donner le plus de renseignements possible, nous avons composé les figures 790, 791, 792, 793, 794, 795, 796, 797, 798, 799, 800, 801, 802 et 803, qui fournissent un choix amplement suffisant.

Corniches volantes. — Nous aurons à faire ici les mêmes observations que nous avons faites en parlant des plafonds.

Les corniches en bois sont d'un prix plus élevé que celles en staff et présentent les inconvénients inhérents au bois, fentes produites par la dessiccation et déformations inévitables avec ce matériau.

Il est possible de calfeutrer d'une manière parfaite un ouvrage en staff et ce calfeutrement est toujours précaire avec le bois. Dans le cas

de locaux mal tenus, ce qui après tout est possible, on connaît le genre
de colonies qui viennent s'établir dans le refuge inaccessible qu'est une
corniche.

Les corniches volantes sont destinées à décorer les pièces des habitations et à passer de la paroi verticale au plafond horizontal par des
formes agréables qui suppriment un angle peu esthétique et concourrent
à l'ornementation générale de la pièce où elles sont établies.

On fait des petites corniches pleines, prises dans un bois de petites
dimensions (fig. 804 et 805), mais elles sont employées surtout comme
couronnement d'une porte ou d'un motif saillant quelconque.

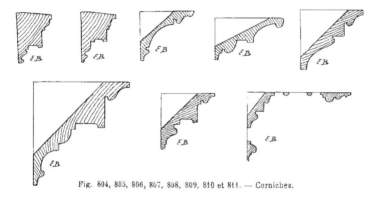

Fig. 804, 805, 806, 807, 808, 809, 810 et 811. — Corniches.

Certaines corniches, déjà plus importantes, sont prises dans une
planche, épaisse suffisamment pour y trouver le profil (fig. 806, 807,
808, 809 et 810).

Comme on le voit, il faut parfois pour obtenir les profils voulus des
bois très forts et il est alors plus économique de procéder par pièces
assemblées.

Avec la figure 811, nous voulons indiquer qu'il est possible, sans
assemblages, d'obtenir l'effet d'une corniche importante rien qu'en
groupant à des distances plus ou moins heureuses, — c'est affaire
d'étude, — quelques éléments isolés les uns des autres et en laissant
le plafond faire fond de corniche. Avec une peinture appropriée bien
comprise, on arrive à un bon résultat très économique.

La figure 812 est aussi accompagnée d'un avant-corps pour lui
donner une importance en rapport avec une pièce de grandes dimensions de largeur et de longueur, mais elle est composée d'éléments
assemblés entre eux. Cela évite une perte de bois mais surtout est pro-

pice à contrarier la tendance à la déformation qu'aurait une corniche de cette dimension prise dans un bois plein, même refait.

L'exemple (fig. 813) est composé de deux pièces seulement et se trouve par conséquent dans d'assez bonnes conditions pour se tenir

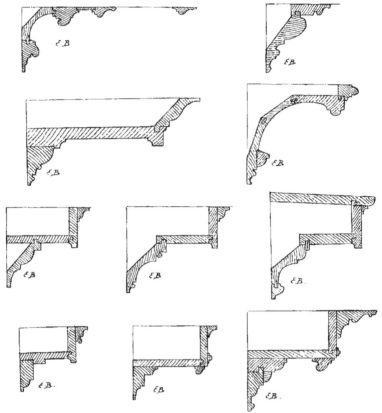

Fig. 812, 813, 814, 815, 816, 817, 818. 819, 820 et 821. — Corniches.

tranquille, surtout si le débit du bois employé pour sa confection a été judicieusement fait.

La figure 814 donne une corniche composée de trois pièces assemblées.

La figure 815 est une corniche à gorge, comprenant deux joints dans cette dernière. Bien que les joints soient à rainure et languettes, et collés, il y a des chances de disjonction et, par suite, de fentes.

Les modèles (fig. 816, 817, 818, 819, 820 et 821) sont des corni-

ches à caissons, composées de quatre à huit pièces assemblées à rainure
et languette et collées.

Les corniches (fig. 822, 823, 824, 825 et 826) sont à gorges ou à
champs obliques. Elles présentent le minimum de joints et sont par conséquent d'une tenue relativement bonne.

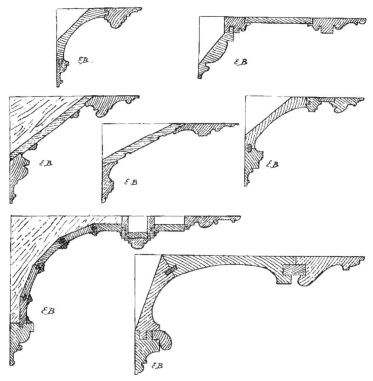

Fig. 822, 823, 824, 825, 826, 827 et 828. — Corniches.

Les figures 827 et 828 représentent de grandes corniches. La
figure 827 donne une grande gorge dont les joints sont aveuglés par
des baguettes moulurées.

Pour toutes les corniches composées de plusieurs pièces et laissant
un vide en arrière il est bien pour les rendre autant que possible indéformables de les poser sur des fourrures en contact avec le mur et
le plafond, sur lesquels elles doivent être fixées, et parfaitement adhé-
rentes avec la corniche à laquelle elles servent de point d'appui.

PARQUETS

Un parquet est un assemblage de bois de faible épaisseur destiné à faire le revêtement du sol des pièces composant les habitations et les édifices publics.

Un plancher est une sorte de parquet rudimentaire fait de planches entières et ne comportant aucune espèce d'assemblage.

Nous commencerons par le dernier pour n'avoir plus à nous occuper que des parquets.

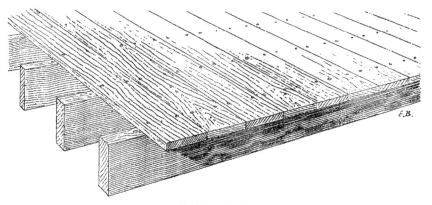

Fig. 829. — Plancher.

Planchers. — Le plancher est composé de planches dressées de rives dans les planchers soignés, et brutes de sciage dans les planchers ordinaires.

Les planches sont simplement juxtaposées les unes contre les autres, sans rainures ni languettes, ce qui distingue surtout le plancher du parquet, et clouées directement sur les solives, comme dans notre exemple (fig. 829).

Les planches servant à l'établissement d'un plancher sont quelconques, suivant les provenances, mais sont plus généralement en sapin. Elles ont de 0^m,160 à 0^m,320 de largeur, et leur épaisseur, qui varie suivant la distances des solives et la destination du plancher, va de 0^m,027 à 0^m,034.

Bien que les planchers se fassent par planches entières, les planches n'étant ni rainées ni languettées, et ne pouvant toujours avoir la longueur entière de la pièce, il faut faire le joint sur une solive.

Un plancher peut aussi être cloué sur des lambourdes, ce qui serait le cas si l'on plaçait un plancher en planches sur un plancher en fer par exemple.

Parquets. — Tous les bois peuvent être employés à la confection des parquets, mais le plus ordinairement ils se font en sapin, en chêne, ou en pitchpin. Les essences plus rares sont employées pour les parquets dits mosaïque, où le dessin et la couleur concourrent à produire un effet heureux.

Les parquets prennent des noms différents suivant la disposition des frises qui les composent.

Parquets à l'anglaise. — Ce premier genre de parquet est composé de frises droites assemblées entre elles à rainures et languettes (fig. 830).

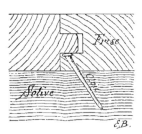

Fig. 830. — Rainure et languette.

Ces frises peuvent être de longueur quelconque et leur largeur varier de 0^m,050 à 0^m,110.

Ces planches rainées qui composent le parquet sont appelées frises lorsqu'elles ont de 0^m,080 à 0^m,110 de largeur, et frisettes lorsque la largeur est moindre.

Les parquets en frisettes ont cet avantage que le retrait du bois se faisant, pour une même surface, sur un plus grand nombre de pièces, les fentes produites par le retrait sont moins importantes.

L'épaisseur la plus courante, quel que soit le bois employé, est de 0^m,027, mais en fait aussi en 0^m,034 lorsque le parquet peut être appelé à supporter de lourdes charges.

Les épaisseurs que nous indiquons se trouvent réduites à 0^m,025 et 0^m,032 par le corroyage du bois.

Dans les constructions où le solivage est en bois, on peut ne pas
mettre de lambourdes, et clouer directement les frises sur les solives,

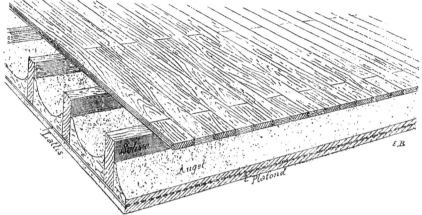

Fig. 831. — Parquet à l'anglaise.

si toutefois elles sont suffisamment nivelées (fig. 831). Au cas où les
solives ne seraient pas droites ou seraient mal nivelées, on a toujours

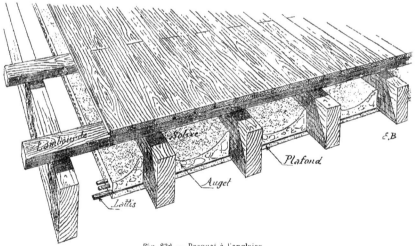

Fig. 832. — Parquet à l'anglaise.

la ressource de caler les frises à la demande, mais c'est un travail,
qu'un peu de soin dans la pose du solivage peut éviter.

Plus fréquemment, les parquets se posent sur des lambourdes, petites pièces en bois dur, généralement du chêne, de $0^m,034 \times 0^m,080$ qu'on

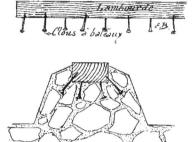

fixe sur les solives en les calant pour niveler parfaitement leur face supérieure qui doit recevoir le parquet (fig. 832).

Lorsque le parquet est destiné à revêtir un plancher composé de solives en fer, les lambourdes sont alors garnies de clous à bateaux, espacés de $0^m,110$ environ, sur trois faces, et sont scellées sur le bourdi du plancher à une distance de $0^m,500$ d'axe en axe.

Fig. 833 et 834.

Ordinairement, on emploie des frises d'une longueur quelconque, et le joint tombe où il peut. S'il tombe entre deux lambourdes, les extrémités de deux frises se trouvent en porte à faux, en bascule comme on dit, et toute la solidité est alors

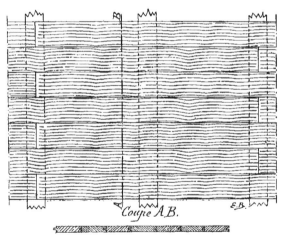

Fig. 835 et 836. — Coupe de pierre.

demandée aux rainures et languettes latérales et à celles pratiquées à l'extrémité des frises.

Ce n'est pas là un travail parfait, aussi fait-on souvent le parquet à l'anglaise avec joint sur lambourde, ce qui occasionne des coupes et le rainage sur place, plus des chutes de bois qui sont autant de perte.

Mieux encore est l'appareil dit, coupe de pierre, où toutes les frises préparées de longueur ont leurs joints alternés placés sur la même ligne dans l'axe de la lambourde (fig. 835, 836).

La coupe AB (fig. 836), donne la section des frises.

Fig. 837 et 838. — Frise à rainure et languette.

Les frises, si les lambourdes sont espacées de 0^m,500, ont alors 1^m,000, 1^m,500, 2^m,000, etc., multiple de 0^m,500.

Dans tous les parquets, les frises sont rainées sur deux côtés, et

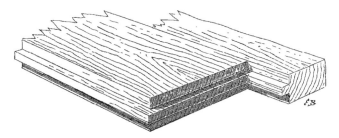

Fig. 839. — Assemblages de frises.

portent des languettes sur les deux autres comme nous le montrons dans le plan et la coupe (fig. 837 et 838).

Plus clairement encore, notre perspective (fig. 839), montre le mode d'assemblage.

Parquet à joints chevauchés. — Ici, le joint est obligatoirement sur la lambourde. Les frises ont comme longueur un multiple de l'écartement des lambourdes, et les joints longitudinaux sont, à chaque interruption, déplacés de la moitié de la largeur de la frise (fig. 840 et 841).

On pourrait faire ce parquet en coupant la frise d'équerre, mais la forme en pointe que nous indiquons donne un résultat beaucoup plus heureux au point de vue de l'aspect.

Parquet à point de Hongrie. — Cette disposition, qu'on appelle aussi en feuille de fougère, consiste à placer les frises obliquement suivant

un angle variant de 38° à 45° sur une perpendiculaire à la lambourde
(fig. 842).

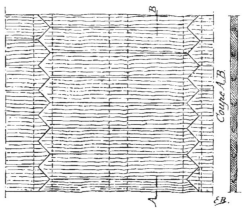

Fig. 840 et 841. — Parquet à joints chevauchés.

Autant que possible, il faut, pour ce genre de parquet, employer des

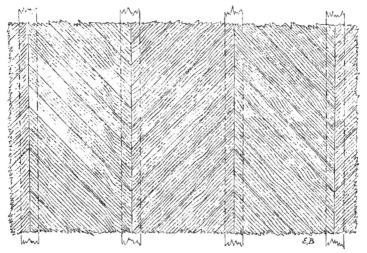

Fig. 842. — Parquet à point de Hongrie.

frises étroites, environ 0^m,060 de largeur et les poser suivant un angle α
(fig. 843), inférieur à 45°.

Nous faisons cette observation et donnons ce conseil à cause du
retrait du bois. En donnant peu de largeur aux lames du parquet, on

obtient un plus grand nombre de joints, et comme le retrait du bois ne
peut augmenter que si la surface devenait plus grande, il en résulte

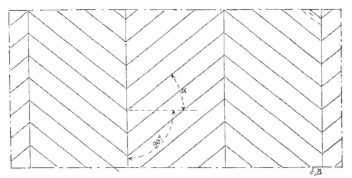

Fig. 843. — Parquet à point de Hongrie.

que le retrait total est divisé par un plus grand nombre de joints, qui
doivent par conséquent se trouver moins ouverts si la dessiccation se
produit, et elle se produit toujours.

Ce retrait se fait aussi sentir à la rencontre des extrémités des frises,
la fente triangulaire qui se produit est d'autant plus grande que les
frises sont larges, mais l'angle a une influence non moins importante,
et pour le démontrer nous avons dessiné les figures 844 et 845.

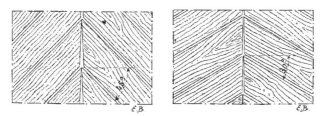

Fig. 844 et 845. — Effet du retrait.

Employant des frises de même largeur nous montrons un même parquet posé sous deux angles différents : 45° et 30° et l'on voit que pour
un même retrait l'ouverture triangulaire est beaucoup plus considérable
avec l'angle de 45° qu'avec celui de 30°.

Pour bien comprendre, il suffit de se rappeler que le bois, si capricieux dans le sens perpendiculaire à ses fibres, est à peu près immuable
dans le sens de la longueur, et que si d'autre part on diminue l'angle

jusqu'à se rapprocher de 0°, on aura une coupe d'équerre, et le triangle résultant du retrait ne pourra pas se produire.

En sens inverse, si nous augmentons l'angle en nous rapprochant de 90° la coupe sera beaucoup plus allongée et le triangle formé par le retrait sera plus considérable.

Point de Hongrie en deux sens. — On peut employer cette disposition qu'on appelle aussi point de Hongrie retourné, lorsqu'on a à parqueter une pièce régulière et dont la cheminée se trouve parfaitement dans l'axe (fig. 846).

Ces retours, qui peuvent se faire plusieurs fois dans une même pièce, produisent de forts beaux effets en mettant par la lumière du jour la maille et la ronce en valeur.

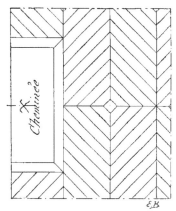

Fig. 846. — Point de Hongrie retourné.

Parquet à bâtons rompus. — Cette disposition ressemble beaucoup à celle appelée à point de Hongrie, elle en diffère seulement par la coupe des frises, qui est faite d'équerre au lieu d'être en onglet (fig. 847)

Elle a l'avantage de supprimer l'inconvénient sur lequel nous avons appelé l'attention, et que nous avons montré (fig. 844 et 845).

Parquet à bâtons rompus doublés. — C'est une disposition du même genre que la précédente, mais dont chaque zigzag est fait par deux frises (fig. 848).

Nous devons signaler l'inconvénient qu'il présente, et qui consiste à nécessiter des lambourdes plus larges de manière à trouver une assise suffisante aux abouts des frises.

Nous représentons (fig. 849) la coupe montrant le repos des frises sur la lambourde.

Parquets à compartiments. — On appelle aussi cette disposition, parquets sans fin.

Ces parquets sont formés non plus de frises que l'on pose successivement en les fixant par des clous dissimulés dans la rainure, mais bien

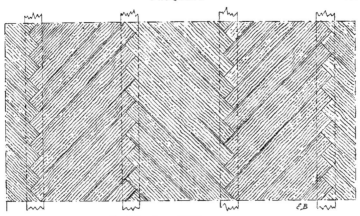

Fig. 847. — Parquet à bâtons rompus.

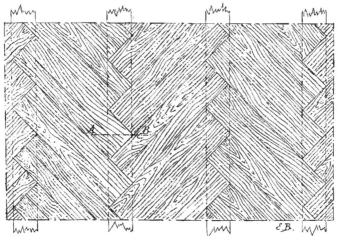

Fig. 848. — Parquet à bâtons rompus.

Fig. 849. — Parquet à bâtons rompus, coupe A-B.

de compartiments ou panneaux préparés à l'avance et dont le cadre est, en plus des rainures et languettes, assemblé à tenons et mortaises.

Fig. 850. — Parquet à compartiments.

La figure 850 est composée de frises de même largeur, par séries de

Fig. 851. — Parquet à compartiments.

quatre frises présentant la même longueur. La pièce centrale est unique et carrée.

Un autre modèle est représenté (fig. 851). Il se différencie du pré-

cédent par les frises qui sont de largeurs différentes et par la dimension de la pièce centrale qui est plus considérable.

L'exemple (fig. 852), comporte un encadrement assemblé à tenons
et mortaises, et le remplissage est composé de frises placées obliquement,

Fig. 852. — Parquet à compartiments.

suivant la diagonale, et interrompues pour sembler passer alternativement dessus et dessous la frise qui leur est perpendiculaire.

Les petits carrés restant sont occupés par un carré de mêmes dimensions que la largeur des frises, ou plus grand, comme c'est le cas dans
notre dessin.

Parquets mosaïques. — On appelle ainsi les parquets dans la confection desquels on emploie des essences différentes, et par suite des
colorations variées. Le chêne, le pitchpin, le noyer, l'acajou, l'érable,
le thuya, l'olivier, etc., dont les riches couleurs, bien employées, peuvent permettre de faire des parquets décoratifs du meilleur effet.

La figure 853 est un des cas les plus simples ne comportant au
maximum que quatre couleurs différentes de bois. Nous n'en avons
employé que trois et avons donné la couleur la plus accentuée au petit
carré central.

La figure 854 ne comporte également que trois essences différentes,
et pourrait aussi être réalisée avec deux seulement.

C'est donc surtout par le dessin qu'il se distingue du précédent.

Enfin, avec le modèle (fig. 855) nous indiquons que l'on peut

Fig. 853. — Parquet mosaïque.

aborder des dessins plus complexes et que ce genre de parquet est souvent accompagné d'une bordure.

Fig. 854. — Parquet mosaïque.

Tous les dessins employés dans la mosaïque des carrelages, et même
ceux de la marqueterie, peuvent être utilisés pour former les compositions les plus variées.

On comprend que ces parquets composés de frises de faible longueur et tenant seulement entre elles par les rainures et languettes seraient incapables de supporter sans déformation, sans s'enfoncer, le poids même d'une seule personne si on les posait directement sur les lambourdes. Aussi a-t-on recours pour les consolider et les rendre indéformables, aux moyens suivants :

Fig. 855. — Parquet mosaïque.

1° Chaque panneau, une fois fini, est doublé d'un parquet de même dimension, cloué, vissé et parfois même collé, qui, lui, porte sur les lambourdes et présente la résistance suffisante.

2° On pose sur les lambourdes un parquet en bois brut et parfaitement nivelé, et ensuite on vient sur ce parquet poser les panneaux ou compartiments préalablement préparés.

Pose des parquets. — Les bois constituant le parquet ne doivent être mis en place que parfaitement secs. De plus, dans les constructions nouvelles, il est indispensable de s'assurer que le hourdis du plancher n'est plus humide et est dans un état de siccité suffisant.

Dans tous les cas, dans un travail soigné, on ne pose le parquet que provisoirement, à blanc, comme on dit, sans serrer à fond les joints et en ne mettant que le nombre de pointes indispensable, on colle pardessus deux couches de papier à l'aide de colle de pâte et on répand de la sciure pour protéger le tout. De plus, dans les endroits propices,

où cela ne peut créer une gêne, on supprime quelques frises de manière
à créer une circulation d'air et à laisser respirer le bois.

On attend pour poser définitivement le parquet et les plinthes qu'un
été soit passé et que le retrait du bois se soit produit le plus parfaitement possible.

Nous savons bien que ces précautions ne peuvent toujours être
observées, mais nous devons aussi indiquer le mode de travail qui
donnera le meilleur résultat.

Les frises sont fixées sur les solives ou sur les lambourdes, suivant
les cas, par des pointes à parquet que le parqueteur chasse obliquement sur le flanc des frises, à travers la lèvre inférieure de la rainure,
comme nous l'avons montré (fig. 830).

Parquet sur bitume. — Dans les endroits humides, par exemple sur
terre-pleins, ou même au-dessus de voûtes de caves, on emploie le

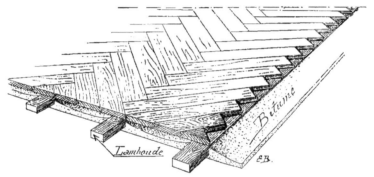

Fig. 856. — Parquet sur bitume.

bitume comme isolant destiné à préserver le bois de l'humidité provenant du sol.

Une première manière de faire consiste à sceller des lambourdes
sur le bitume occupant la surface entière de la pièce, et, pour en
augmenter l'adhérence à la couche, on relève le bitume en forme de
solin ou d'auget, sur les côtés des lambourdes. Nous pensons que des
clous enfoncés au préalable sur les lambourdes assureraient une
solidité plus grande encore en rendant impossible le décollage
(fig. 856).

Nous avons figuré du parquet à bâtons rompus, mais on peut
employer tous les autres parquets.

Les lambourdes ainsi scellées et nivelées, on vient poser le parquet de même que dans les exemples étudiés précédemment.

Ce genre de parquet se fait aussi sans lambourdes, mais alors il ne

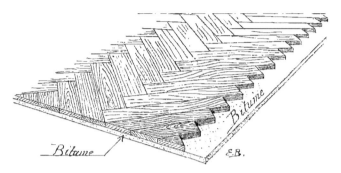

Fig. 857. — Parquet sur bitume.

se fait guère que par bouts de frises de peu de longueur, et le genre dit
bâtons rompus est le plus fréquemment employé.

Les bois ne portent ni rainures ni languettes et les frises sont
simplement collées sur le bitume, absolument comme on ferait pour un
carrelage (fig. 857).

Pour assurer l'adhérence du bois, la couche de bitume est étendue

Fig. 858 et 859. — Parquets sur bitume.

chaude et en fusion sur le sol, au fur et à mesure de l'avancement du
travail de pose.

On emploie parfois de très petits éléments, ce qui permet de faire
des dessins quelconques, ainsi, comme le montre la figure 858, on peut
faire une sorte de pavage où la brique est remplacée par du bois.

Une variante de même genre est représentée figure 859, où l'emploi de deux essences est possible comme nous l'indiquons sur notre dessin par des lignes différentes.

Enfin, par raison d'économie, ou pour des parquets destinés à un service provisoire, on arrive à isoler le parquet du sol en intercalant

Fig. 860. — Emploi du carton bitumé.

entre la lambourde et le parquet des feuilles de carton bitumé préalablement clouées sur les lambourdes (fig. 860).

Ce procédé peut convenir pour les parquets à l'anglaise, à point de Hongrie ou à bâtons rompus, le lambourdage dans ce cas est garni de clous à bateaux et scellé comme nous l'avons indiqué précédemment (fig. 833 et 834).

Encadrements. — Les encadrements de foyers et de bouches de chaleur se font en frises de mêmes largeur et épaisseur que les frises du parquet, et on prévoit dans le lambourdage des pièces de lambourdes contournant les foyers et les bouches de chaleur pour assurer l'appui indispensable à ces encadrements.

Seuils. — Dans les travaux ordinaires, les seuils dans les tableaux de portes se font par frises droites.

Mais, dans les travaux plus soignés, ces parties de parquet donnent parfois lieu à une recherche spéciale.

On fait dans le tableau un panneau composé d'un cadre dont la largeur est égale à l'épaisseur du mur et on remplit avec des frises comportant un arrangement plus ou moins décoratif.

Notre figure 861 montre deux dispositions différentes. A gauche, le remplissage est à point de Hongrie, et à droite une combinaison de frises coupées d'onglet à un bout et d'équerre de l'autre. Les petits carrés recevant les abouts ont leurs fibres placées dans le sens longitudinal du seuil, ce qui fait à la lumière du jour un effet agréable.

L'autre exemple de seuil (fig. 862) donne également deux modèles de remplissage. A gauche une fougère avec arête médiane, et à droite une disposition à bâtons rompus analogue à celle présentée antérieurement (fig. 848).

Les personnes qui s'occupent de menuiserie savent que pour enfoncer un clou un peut fort il faut répéter plusieurs fois le coup de marteau adroitement appliqué sur la tête dudit clou.

C'est pour bien faire pénétrer l'avantage des frises étroites que sans nous lasser nous revenons sur ce palpitant sujet :

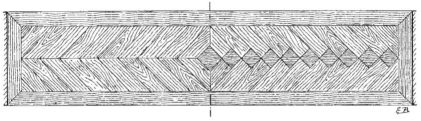

Fig. 861. — Seuil.

Le parquet ordinaire varie, comme largeur, de $0^m,080$ à $0^m,110$, et bien que cette largeur soit peu considérable, il n'est pas rare de voir se produire par la dessiccation du bois des retraits qui atteignent et dépasse parfois $0^m,006$ de largeur, formant des petits canaux où viennent se

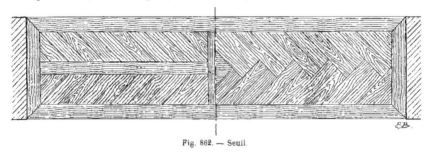

Fig. 862. — Seuil.

loger les poussières et toutes les menues ordures que promène le balai et qui tombent dans ces fentes.

On prétend même que des colonies de microbes habitent ces repaires et y pullulent prêts à propager des maladies qui ont des noms horribles.

Certes, on évite en partie les fentes de parquet :

1° En choisissant des bois bien secs et de première qualité ;

2° En laissant bien sécher le hourdis du plancher et les scellements des lambourdes, — pour ces scellements seuls, par un beau temps bien sec, il faut compter trois semaines ou un mois ;

3° En prenant la précaution indiquée plus haut de procéder par une pose provisoire. puis longtemps après à la pose définitive.

Tout cela est facile à conseiller et difficile à obtenir, car le temps presse toujours ; pour un immeuble de rapport on veut louer de suite ; pour un hôtel, on veut en jouir sans délai, et alors on va vite.

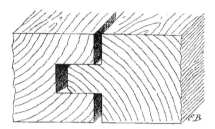

Fig. 863. — Joint de frises.

Les moyens indiqués ne pouvant souvent être employés, nous conseillons à nouveau l'emploi des frises étroites. Le vide qui se produit entre les frises par l'effet de la dessiccation étant proportionnel à leur largeur on comprend qu'une frise de $0^m,050$ (fig. 863) ne donnera qu'un

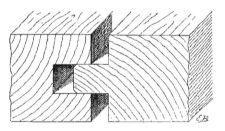

Fig. 864. — Joint de frises.

retrait moitié moindre qu'une frise de $0^m,100$ (fig. 864), et si l'on n'a pas supprimé l'inconvénient, on l'aura du moins atténué.

L'apparence seule y gagnera, car les joints étant plus nombreux le cube de poussière emmagasiné sera exactement le même, mais l'aspect général sera moins désastreux.

Nous répétons que les parquets ne doivent être posés que lorsque les plâtres sont bien secs et que les baies sont munies des fermetures nécessaires pour empêcher l'entrée des eaux de pluie et de la neige qui, si elles mouillaient les bois, feraient gonfler les parquets et les amèneraient à se détacher des lambourdes.

Il est entendu qu'on ne connaît pas de procédé certain pour empêcher les fentes de se produire. Mais lorsqu'elles se sont produites il est possible de les boucher, de les calfeutrer, et l'industrie offre des produits destinés à cet office.

Nous en ignorons l'efficacité, mais nos lecteurs pourront, s'il leur convient, faire un très bon mastic avec de la résine, du suif, de la cire, du blanc d'Espagne et une couleur en poudre appropriée au ton du bois, le tout appliqué à chaud.

Le résultat est meilleur quand on peut faire couler le mastic, liquide par fusion, dans les fentes et après avoir pris soin de parfaitement nettoyer ces petits canaux.

Replanissage ou rabotage. — Lorsqu'un parquet est posé, il n'est pas absolument fini, parce qu'il laisse à désirer sous le rapport du dressage. En effet, si bien calibrées que soient les frises, il y en a toujours qui ont une épaisseur différente ou dont la rainure et la languette ne sont pas exactement à la hauteur voulue ; alors certaines frises dépassent légèrement les autres et les choses ne peuvent être laissées ainsi.

Pour corriger ces petites défectuosités on a recours à l'opération dite replanissage, qui consiste à mouiller la surface du parquet et à le raboter au moyen d'un racloir si les aspérités sont peu importantes, et d'un rabot si la partie à enlever, pour rendre le parquet uni, est trop considérable.

C'est la dernière opération, il ne reste qu'à laisser sécher parfaitement, après quoi on peut encaustiquer.

RENSEIGNEMENTS GÉNÉRAUX

DIMENSIONS DES BOIS DU COMMERCE

(AVANT CORROYAGE)

Le bois se trouve dans le commerce débité à des dimensions assez variables par l'opération du sciage.

Les bois de sciage sont de dimensions différentes suivant les essences des bois, chêne, sapin ou autres.

Chêne flotté, dit chêne de Champagne, on a :

Le *feuillet*, planche mince de 0m,013, 0m,018, 0m,020 × 0m,23 à 0,24 et la longueur varie de 1m,95 à 3m,90 ;
Le *panneau*, 0m,020 × 0m,23 ou 0m,24 ;
L'*entrevous*, planche 0m,024 à 0m,027 × 0m,20 à 0m,24 ;
L'*échantillon*, 0m,034, 0m,020, 0m,041 × 0m,20 à 0m,23 ;
La *doublette*, planche épaisse 0m,054 × 0m,20 à 0m,23 ;
Le *petit-battant*, qui a 0m,075 à 0m,078 × 0m,20 à 0m,23 ;
La *membrure*, 0m,036 à 0m,080 × 0m,16 à 0m,24 ;
Le *gros-battant*, 0m,110 × 0m,20 à 0m,23 ;
Le *chevron*, 0m,08 × 0m,08.
La longueur ordinaire est de 3m,75.

Le hêtre se débite en planches ou en plateaux, sans dimensions fixes.

EN SAPIN DE LORRAINE

Le *feuillet*, 0m,013 × 0m,32, longueur 3m,57 ;
La *planche*, 0m,027, 0m,034, 0m,041 × 0m,32 et 3m,90 à 4m,00 de longueur.

EN SAPIN DU NORD

Le *madrier rouge*, avec résine, 0m,080 × 0m,22 ou 0m,23 ;
Le *madrier blanc*, sans résine, 0m.080 × 0m,22 ou 0m,23 ;
Le *panneau*, 0m,020 × 0m,22 ou 0m,23 ;

Le *feuillet*, dit 5 traits, $0^m,010 \times 0^m,22$;
—   4 — $0^m,013 \times 0^m,22$;
—   3 —- $0^m,018 \times 0^m,22$;
La *planche*, $0^m,027$, $0^m,034$, $0^m,041$, $0^m,054 \times 0^m,22$;
Le *chevron*, $0^m,080 \times 0^m,008$;
Le *bastaing*, $0^m,065 \times 0^m,16$ à $0^m,17$;
Le *madrier*, $0^m,080$ ou $0^m,11 \times 0^m,22$ ou $0^m,23$.

EN PEUPLIER ET GRISARD

Le *feuillet*, $0^m,013 \times 0^m,19$ à $0^m,25$;
La *volige de Champagne*, $0^m,013 \times 0^m,16$ à $0^m,25$;
La *volige de Bourgogne*, $0^m,021 \times 0^m,14$ à $0^m,16$;
Le *quartelot*, $0^m,055$ à $0^m,060 \times 0^m,22$ à $0^m,25$;
La *planche*, $0^m,030 \times 0^m,22$ à $0^m,27$.

Jusqu'à $2^m,67$ de longueur.

EN PITCHPIN

Ce bois se débite en toutes dimensions.

Le *madrier*, $0^m,080 \times 0^m,23$;
Le *plateau*, $0^m,100$ à $0^m,120 \times 0^m,26$ à $0^m,65$;
La *poutre*, $0^m,26$ à $0^m,56$ d'équarrissage.

BOIS DE PARQUETAGE

corroyés, avec rainures et languettes pour parquets sur lambourdes, et sans rainures ni languettes pour parquets sur bitume.

Sapin. .	. $0^m,025$ par frises de $0^m,085$ à $0^m,11$ de largeur ;		
— . .	. $0^m,032$	—	—
Chêne [1] .	. $0^m,025$	—	—
—	$0^m,025$	—	$0^m,065$ à $0^m,08$
— .	. $0^m,032$	—	$0^m,065$ à $0^m,11$
Pitchpin .	. $0^m,025$	—	de toutes largeurs.

LAMBOURDES

Chêne flotté, $0^m,027 \times 0^m,08$;
— $0^m,034 \times 0^m,08$;
— $0^m,041 \times 0^m,08$;
— $0^m,054 \times 0^m,08$;
— $0^m,080 \times 0^m,08$.

On trouve ces mêmes dimensions en bois de choix, maillés, qui conviennent pour les travaux très soignés.

BOIS

DENSITÉS	DE	A
Bois indigènes.		
Charme.	737	757
Châtaignier	685	1.100
Chêne vert	930	1.220
— sec.	643	1.013
Érable	557	757
Frêne	725	785
Hêtre.	750	852
Marronnier	657	—
Noyer de France.	685	690
Noyer d'Afrique.	728	743
Orme.	671	742
Peuplier d'Italie.	330	387
— de Hollende.	514	528
— blanc d'Espagne.	529	550
— noir	457	—
— de la Caroline.	492	—
Pin du Nord	823	828
— blanc	553	—
— de Genève	554	—
Platane.	628	700
Sapin mâle	463	530
— femelle.	498	—
— rouge et jaune	656	671
Tilleul	557	604
Bois des îles.		
BOIS DURS		
Acajou	900	—
Amaranthe de Cayenne	1.200	—
Chêne du Canada	1.000	—
Citronnier	1.000	—
Érable moucheté d'Amérique	1.000	—
Ébène de Ceylan et d'Afrique.	1.300	—
Gayac de Saint-Dominique.	1.333	—
Noyer noir d'Amérique.	900	—
Palissandre.	1.200	—
Rose, violette, courbaril du Brésil.	1.200	—
Teack.	800	—
BOIS BLANCS		
Cyprès d'Amérique	600	—
Tulipier d'Amérique	600	—
Pitchpin	950	960

Conservation des bois. — Les bois exposés aux influences atmosphériques et aux alternatives d'humidité et de sécheresse, s'altèrent, pourrissent et finissent par tomber en poussière.

C'est surtout la sève, chargée de matières solubles, fermentescibles, qui est la principale cause de la destruction du bois, et c'est de la connaissance de cette cause qu'est venu l'usage du flottage ou de l'immersion.

La dessiccation doit donc précéder l'emploi de manière à ne mettre en œuvre que des bois débarrassés de leur sève et du reste de toute humidité quelle qu'elle soit.

La dessiccation naturelle qui se fait à l'air libre est le système le plus ancien. Les bois absolument nettoyés de toutes les parties altérées, nœuds pourris, etc., sont déposés à couvert et empilés de manière à leur assurer sur toutes faces le contact de l'air, et doivent rester ainsi exposés pendant une durée de trois années.

La dessiccation par immersion semble être un peu comme l'ineffable Gribouille qui se mettait dans l'eau par crainte de la pluie, mais cela n'est qu'apparent, l'humidité par immersion ne persiste pas longtemps, et n'est pas très dangereuse, alors que celle de la sève est beaucoup plus tenace et possède des propriétés désastreuses en ce sens qu'elle corrompt le bois en se décomposant.

Donc, l'immersion dans une eau courante ou stagnante tue la sève à la condition que cette immersion ait une durée d'environ quatre mois.

Le transport des bois par les rivières, communément appelé flottage, présente donc des avantages sérieux. Il aide à la dissolution de la sève et procure aussi une économie de transport.

Après l'immersion, il faut environ quatre semaines de séchage à couvert et à air libre pour permettre d'employer le bois sans avoir à redouter de trop graves inconvénients.

C'est un vieux moyen de dessiccation, mais comme bien d'autres, consacrés par l'expérience, c'est encore un des meilleurs.

La dessiccation artificielle se fait au moyen de la vapeur; on a recours aussi aux agents chimiques.

Par la vapeur: on soumet d'abord le bois à son action dans un local clos en maçonnerie, c'est le lessivage ; puis on expose les pièces dans un local sec et bien aéré pendant un mois, c'est l'essorage ; pendant un mois encore le bois doit séjourner dans une salle chauffée à 30°, c'est l'étuvage.

On voit que ce procédé n'offre pas de grands avantages sur la dessiccation naturelle, et il rend souvent les bois cassants et très hygrométriques.

Les procédés chimiques par injection sous pression ou par bain sont multiples. Ils sont basés sur le principe de la transformation, par les agents chimiques, des substances solubles, fermentescibles et attaquables par les insectes, en substances réfractaires à ces causes de détérioration.

Pour cela, on injecte ou on laisse pénétrer dans les canaux séveux un liquide antiseptique, sublimé corrosif, sulfate ou pyrolignite de fer, chlorure de zinc, mélange de sulfate et de sulfure de baryum ou enfin la créosote ou le sulfate de cuivre.

Pour protéger les bois, on emploie aussi la carbonisation superficielle, le goudronnage et divers agents antiseptiques.

Teintage des bois. — Il est parfois utile en menuiserie d'avoir quelques données sur le teintage ou la coloration des bois. Cela peut surtout servir en cas de travaux de réparations, lorsqu'une pièce en bois neuf vient d'être rapportée en contact avec un bois déjà vieilli et ayant acquis une certaine coloration.

D'une manière générale on peut donner au bois une coloration quelconque en employant une matière végétale colorante quelconque, en introduisant d'abord un mordant, alun, acétate d'alumine ou acétate de fer.

Pour donner au chêne une apparence de vieux bois, il suffit d'employer le brou de noix pur ou plus ou moins étendu d'eau suivant le degré de coloration que l'on se propose d'obtenir.

On donne au hêtre l'apparence de vieux chêne, au moins quant à la couleur, à l'aide du chromate de potasse.

Le pyrolignite de fer et une matière tannante donnent une teinte bleue, noire ou grise.

Toutes les couleurs d'aniline sont propres à la coloration du bois.

Le vernissage ou l'encausticage fixent ces couleurs et les empêchent de déteindre.

INDEX ALPHABÉTIQUE DES MATIÈRES

TABLE ANALYTIQUE DES MATIÈRES

ÉVREUX, IMPRIMERIE CH. HÉRISSEY, PAUL HÉRISSEY, SUCC^r

Hachette-BnF s'est donné pour mission de réimprimer à l'identique des œuvres issues du patrimoine historique et littéraire français puisées dans les collections de livres anciens et rares libres de droits de la bibliothèque en ligne de la BnF, Gallica.

Grâce à la technologie de l'impression à la demande, ce sont plus de 260 000 titres qui sont disponibles en fac-similés pour satisfaire les lecteurs éclairés, chercheurs, amateurs et passionnés.

Plus d'infos sur : http://www.hachettebnf.fr

DANS LA MÊME COLLECTION :

Guide élémentaire et pratique pour la fabrication du cidre et du poiré (Éd. 1889)
P.-J. LEFÈVRE

L'Art de greffer les arbres, arbrisseaux et arbustes fruitiers, forestiers (Éd. 1880)
CHARLES BALTET

Le Livre des conserves, ou Recettes pour préparer et conserver les viandes (Éd. 1869)
JULES GOUFFÉ

Le Parfumeur impérial, ou L'art de préparer les odeurs, essences, parfums pommades (Éd. 1809)
C.-F. BERTRAND

Les Plantes bienfaisantes (Éd. 1906)
A. FLEURY DE LA ROCHE

Manuel de l'amateur de truffes ou L'art d'obtenir des truffes, au moyen de plants artificiels (Éd. 1828)
ALEXANDRE MARTIN

Manuel de l'étudiant magnétiseur (Éd. 1868)
LE BARON DU POTET

Manuel de l'herboriste (Éd. 1889)
M. RECLU

Manuel pratique de culture maraichère (Éd. 1863)
COURTOIS-GÉRARD

Manuel pratique du pâtissier-confiseur-décorateur (Éd. 1894)
ÉMILE HÉRISSE

Manuel théorique et pratique du brasseur, ou L'art de faire toutes sortes de bières (Éd. 1828)
FRÉDÉRICK ACCUM

Méthode d'équitation basée sur de nouveaux principes (Éd. 1844)
F. BAUCHER

Nouveau Manuel complet de la fabrication de la vannerie, cannage et paillage des sièges (Éd. 1912)
A. AUDIGER

Nouveau Manuel complet du distillateur liquoriste (Éd. 1918)
LEBEAUD

Horlogerie : outillage et mécanique (Éd. 1891)
V.-A. PIERRET

Petit Cours d'apiculture pratique (Éd. 1874)
CHARLES DADANT

Petit Guide pratique de jardinage (Éd. 1894)
S.-J. MOTTET

Traité de charpente en bois (Éd. 1890)
GUSTAVE OSLET

Traité pratique de la fabrication des eaux-de-vie par la distillation des vins (Éd. 1895)
CH. STEINER

Traité pratique de menuiserie (Éd. 1911)
ÉTIENNE BARBEROT

Ingram Content Group UK Ltd.
Milton Keynes UK
UKHW041219020723
424184UK00018B/200